La balsa de la Medusa

Ant Machado Libros

www.machadolibros.com

La apreciación estética de la naturaleza

Traducción de
María del Mar Rosa Martínez

Malcolm Budd

La apreciación estética
de la naturaleza

La balsa de la Medusa

La balsa de la Medusa, 194

Colección dirigida por
Valeriano Bozal

Filosofía, serie dirigida por
Francisca Pérez Carreño

Título original: *The Aesthetic Appreciation of Nature.*
Essays on the Aesthetics of Nature
© Malcolm Budd
© de la traducción, María del Mar Rosa Martínez, 2014
© de la presente edición,
Machado Grupo de Distribución, S.L., 2014
C/ Labradores, 5. Parque Empresarial Prado del Espino
28660 Boadilla del Monte (Madrid)
machadolibros@machadolibros.com
www.machadolibros.com

ISBN: 978-84-7774-297-5
Depósito legal: M-7.599-2014

Impreso en España - *Printed in Spain*
Cofás, S.A.
Móstoles (Madrid)

Índice

Prefacio 13

Ensayo 1. La apreciación estética de la naturaleza como naturaleza 19
   1.1. La apreciación estética de la naturaleza como natu-
        raleza 19
   1.2. La idea de naturaleza 21
   1.3. La naturaleza no prístina 26
   1.4. Respuesta a la naturaleza como naturaleza 29
   1.5. El carácter de una respuesta estética 32
   1.6. Una respuesta estética a la naturaleza como natura-
        leza 36
   1.7. Conocimiento de la naturaleza 40

Ensayo 2. La estética de la naturaleza de Kant 47
   I. La belleza natural según Kant 47
   2.1. Introducción 47
   2.2. La noción kantiana de juicio estético 48
   2.3. La clasificación de Kant de los juicios estéticos
        (no compuestos) 50
   2.4. El placer distintivo de lo bello 53
   2.5. El juicio de perfección cualitativa 59
   2.6. El juicio de belleza dependiente (adherente) 61
   2.7. Juicios estéticos no reconocidos sobre cosas na-
        turales 64
   2.8. Un ideal de belleza 68
   2.9. Placeres interesado y desinteresado 72

   II. Sobre la belleza natural y la moralidad en Kant 74
   2.10. Un juicio puro de gusto, por sí mismo, no ge-
        nera interés 74

2.11. Interés inmediato en la belleza natural 78
2.12. Moralidad e interés inmediato en la belleza natural 82
Una nota sobre Schiller 89

III. Sobre lo sublime en la naturaleza en Kant 94
2.13. Introducción 95
2.14. La clasificación kantiana de los juicios estéticos puros de lo sublime 96
2.15. Lo sublime matemático 98
2.16. Lo sublime dinámico 108
2.17. El doble aspecto de la emoción de lo sublime . 112
2.18. La pureza de los juicios estéticos de lo sublime . 118

Ensayo 3. Naturaleza, arte, propiedades estéticas y valor estético 123
3.1. Introducción 123
3.2. La belleza del arte y la belleza de la naturaleza 125
3.3. Apreciar la naturaleza por lo que la naturaleza realmente es 128
3.4. Estética positiva respecto a la naturaleza 131
3.5. Libertad y relatividad en la apreciación estética de la naturaleza 142

Ensayo 4. Estética de la naturaleza: una visión general 147
4.1. Introducción 147
4.2. Una estética de la implicación 148
4.3. El formalismo ambiental 148
4.4. Las cualidades expresivas de la naturaleza 152
4.5. La apreciación estética de la naturaleza como naturaleza 157
4.6. Las categorías naturales y la objetividad 160
4.7. La estética positiva 164
4.8. Libertad, relatividad, objetividad y estética positiva .. 167
4.9. Modelos de apreciación de la naturaleza 169
4.10. Una búsqueda quimérica 189

Bibliografía 191

Índice analítico 195

«Cuanto más estudio la naturaleza, más me impresionan sus mecanismos y bellas adaptaciones, lentamente adquiridos por cada parte, en ocasiones distintos en un grado leve, pero en múltiples formas, preservando aquellos cambios que resultan beneficiosos para el organismo bajo condiciones vitales complejas y cambiantes, trascendiendo, de manera incomparable, los mecanismos y adaptaciones que la imaginación más fértil del hombre pudiera inventar.»

Charles Darwin

«por lo tanto aún sigo siendo
un amante de los prados y los bosques
y montañas; y de todo lo que contemplamos
desde esta verde tierra; de todo el poderoso mundo
de vista y oído, de lo que ambos a medias crearon,
y de lo que perciben; complacido en reconocer
en la naturaleza y el lenguaje del sentir
el ancla de mis pensamientos más puros, la enfermera,
la guía, el guardián de mi corazón y alma
de todo mi ser moral.»

William Wordsworth,
«Lines Composed a Few Miles above Tintern Abbey»

Prefacio

Con anterioridad a las últimas décadas del siglo XX ha habido pocas reflexiones filosóficas serias acerca de la estética de la naturaleza. Antes, en toda la historia de la filosofía occidental, y a pesar de las reflexiones que pueden encontrarse en las obras de Addison, Burke, Hume, Schopenhauer, Hegel y Santayana, por ejemplo, solo hubo una contribución principal a la materia: la de Inmanuel Kant. La contribución de Kant eclipsa todo pensamiento previo y no ha sido seguida por nada de rango comparable: es el único escrito filosófico sobre la apreciación estética de la naturaleza realizado por una gran figura y que todavía hoy merece atención sostenida. Un artículo escrito por Ronald Hepburn, a finales de 1960, insufló nueva vida a la materia, alentando al principio un pequeño hilo de publicaciones que ahora son un auténtico caudal.

La peculiar historia de la materia queda reflejada en el carácter de este libro. Este recoge cuatro ensayos sobre estética de la naturaleza publicados en los últimos seis años, cada uno de los cuales es casi completamente autónomo, de manera que pueden ser leídos independientemente uno de otro y en cualquier orden, si bien se complementan al explorar el tópico desde diferentes puntos de vista.

El primer ensayo comienza con la declaración de una concepción bastante exigente de cómo debe ser entendida la idea de una apreciación estética de la naturaleza –como apreciación estética de la naturaleza *como* naturaleza–, concepción que sugiere la pregunta de si podría haber o no algo así. Esta concepción se desarrolla aclarando, primero, la idea del objeto de apreciación, esto es, la naturaleza. Esta engloba a la naturaleza prístina y a la naturaleza afectada por el hombre, y considero las consecuencias de las intrusiones de los humanos en la naturaleza dentro de la apreciación estética de la naturaleza, como tal, afectada. El segundo desarrollo de mi concepción de la apreciación estética de la naturaleza se ocupa de la apreciación –la respuesta del sujeto a la naturaleza como naturaleza–. Distingo aquí dos formas en las que esto puede entenderse, una de las cuales puede provocar escepticismo acerca de la posibilidad de apreciar estéticamente la naturaleza como naturaleza. Yo disuelvo este escepticismo, primero, enfatizando la relevancia de la forma en la que nuestra percepción del mundo está informada por los conceptos bajo los cuales subsumimos todo lo que vemos y, segundo, proponiendo una concepción de qué constituye una respuesta estética a algo. Este desarrollo me capacita para ilustrar cómo se pueden satisfacer, a veces, no siempre, las exigencias impuestas por la forma más fuerte de mi concepción de la apreciación estética de la naturaleza. Dado que tal y como vemos el mundo, lo que vemos que existe, puede afectar a nuestro modo de responder ante ello, aflora la cuestión de qué conocimiento, si es que es necesario alguno, es esencial para la apreciación estética de la naturaleza; este ensayo concluye explorando la relevancia estética del conocimiento de la naturaleza y cómo este puede acrecentar (o disminuir) la apreciación estética.

El segundo ensayo, dividido en tres partes, es una exposición y un examen comprensivos del pensamiento maduro de Kant acerca del placer estético en el mundo natural. A pesar de que la visión que el ensayo presenta del pensamiento de Kant creo que es acertada –incluso la interpretación eminentemente discutible de la idea guía de Kant en su visión de lo sublime matemático– no se trata de un ejercicio escolástico en el que lo único o lo primero sea explicar los textos de Kant y defender una interpretación de ellos propuesta frente a otras interpretaciones rivales. Lo que yo elegí hacer es presentar el pensamiento principal de Kant sobre la apreciación estética de la naturaleza tal y como creo que debe ser entendido y someterlo a crítica donde pareciera necesario. Hay mucho que aprender de la obra de Kant y una presentación no demasiado densa, con una evaluación que la acompañe, me parece la forma más provechosa de cosechar los beneficios de su pensamiento.

El tercer ensayo se centra en qué es distintivo de la estética de la naturaleza. En él comienzo argumentando en contra de su asimilación con la estética del arte, intentando demostrar que la concepción de que la apreciación estética de la naturaleza debe ser entendida como apreciación de la naturaleza como si fuera arte es inadecuada. Ello nos conduce a un examen de tres tesis. La primera mantiene que, desde el punto de vista estético, los ítems[1] naturales deben ser apreciados bajo los conceptos de las cosas naturales o de los fenómenos que son. La segunda afirma que las propiedades estéticas que un ítem natural posee realmente están determinadas por las categorías de la naturaleza bajo las cuales el ítem puede ser experimentado. La tercera –la doctrina de la estética positiva respecto de la naturaleza– reclama que la estética de la naturaleza prístina, a diferencia de la del arte, debe ser enteramente positiva ya que, tratándose de una naturaleza no afectada por el hombre, sería equivocado hacer juicios de valor estético negativo acerca de los productos del mundo natural. Para concluir, intento mostrar que la idea de valor estético de un ítem natural es tal que ella misma dota a la apreciación estética de la naturaleza de una libertad y relatividad que le es negada a la apreciación del arte y que hace que la doctrina de la estética positiva, aun cuando pueda asumir muchas formas, resulte problemática.

El ensayo final es una revisión crítica de muchos de los asuntos discutidos y de las posiciones propuestas, aunque, ciertamente, no de todos, en la literatura que siguió a la publicación del artículo de Hepburn. Muchos de los debates aún en curso, iniciados por una serie de desafiantes artículos de Allen Carlson, han hecho avanzar, así lo creo, enormemente la materia. Mi ensayo no pretende ser apenas una guía de la literatura: lo que me he propuesto hacer es distinguir el trigo de la paja e iluminar los problemas no resueltos.

Un tema recurrente de los ensayos es el de que la forma correcta de experimentar estéticamente la naturaleza es responder a ella *como siendo naturaleza*. Este modo de respuesta, que puede ma-

---

[1] Nota del traductor: respetamos el uso de la voz latina *item*, tal como es utilizada y definida por el autor. Véase, ensayo I, 1.5: «Un ítem incluye no solo objetos físicos o combinaciones de objetos, sino también la actividad o el comportamiento de seres vivientes o no-vivientes, eventos o procesos de otras clases, meras apariencias, y cualquier otro tipo de cosas susceptible de apreciación estética.»

terializarse de múltiples y diferentes maneras, de forma más débil o fuerte, tiene inmensas ventajas sobre sus dos principales rivales, cada uno de las cuales está inadecuadamente motivado. La concepción formalista de la apreciación estética de la naturaleza, centrada exclusivamente sobre el carácter que la naturaleza presenta cuando es considerada con abstracción de aquellos conceptos bajo los cuales podría ser experimentada por espectadores con mayor o menor conocimiento sobre qué clase de ítems naturales están percibiendo, es innecesariamente restrictiva y, por tanto, empobrecedora. La idea de que la experiencia estética de la naturaleza consiste en contemplar la naturaleza como si fuera arte impone un modelo alienado a la apreciación estética de la naturaleza (bajo la ilusión de que no hay alternativa natural o viable) y, al defender que contemplamos la naturaleza como algo que sabemos que no es, da licencia a que se realicen las interpretaciones más descabelladas, al tiempo que rechaza, equivocadamente, la posibilidad de hacer juicios verdaderos, no relativos, de las propiedades estéticas y del valor de las cosas naturales –juicios que no son relativos a un modo idiosincrásico de concebir la naturaleza que un espectador pueda elegir adoptar.

De maneras diferentes, ambas posiciones rehúsan reconocer a la naturaleza como lo que la naturaleza realmente es. Por el contrario, la concepción que recomiendo abarca, recibe y puede que hasta glorifique el verdadero carácter de la naturaleza y, al hacerlo, marca el comienzo de un enorme enriquecimiento de la experiencia estética de la naturaleza, a la vez que permite que los juicios estéticos acerca de ella puedan ser plenamente verdaderos. Al mismo tiempo, corto las alas de versiones más extravagantes de la estética natural que defiendo, que me parece sobreenfatizan el rol del conocimiento científico en la apreciación estética de la naturaleza.

Los ensayos han sido revisados y, en algunas partes, ampliados generosamente desde que fueran publicados por primera vez. Inevitablemente, algunas cuestiones salen al paso en más de una ocasión: cuando esto ocurre he minimizado las coincidencias, primero, comprimiendo el último tratamiento e introduciendo algunos puntos nuevos, si el tratamiento inicial es razonablemente completo, y segundo, ampliando el último tratamiento de aspectos de un asunto a los que se había prestado poca atención.

Estoy muy agradecido a la Oxford University Press por permitirme hacer uso de mis escritos «La apreciación estética de la Naturaleza» y «Placer en el mundo natural: Kant sobre la apreciación estética de la Naturaleza», publicados originalmente en *The Bristish Journal of Aesthetics*, 36/2 (july 1996) y 38/1-3 (January-July 1998), que forman la base de los dos primeros ensayos, y por autorizarme a publicar como ensayo final una versión considerablemente ampliada de «Estética de la Naturaleza» del Oxford Handbook of Aesthetics. El tercer ensayo es una versión ligeramente modificada de «La estética de la Naturaleza», aparecida originalmente en *Proceedings of the Aristotelian Society*, vol. C, pt. 2 (2000). El material de este artículo se reimprime por cortesía del editor de la *Aristotelian Society* © 2003, por lo que quedo muy agradecido.

M.J.B.
Cambridge, mayo 2002

1
La apreciación estética de la naturaleza como naturaleza

Die liebe Erde allüberall
Blüht auf im lenz und grünt auf neu!
Allüberall und ewig blauen licht die Fernen!

Gustav Mahler, *Das Lied von der Erde*[1]

1.1. La apreciación estética de la naturaleza como naturaleza

¿Qué es apreciar estéticamente la naturaleza? ¿Existe algo que sea la apreciación estética de la naturaleza? Estas cuestiones hacen referencia, por un lado, a un objeto y, por otro, a un tipo de apreciación: el objeto es la naturaleza y el tipo es estético. Por ello, una respuesta aclaratoria debería hacer dos cosas: debería proveer tanto de una delimitación del ámbito de la naturaleza como de una explicación de qué constituye la apreciación estética de ítems en ese ámbito. El primer elemento de la respuesta puede parecer independiente del segundo. Pero, de hecho, no puede haber una comprensión relevante del concepto de naturaleza poniendo las consideraciones estéticas por completo de un solo lado: la deseada distinción

[1] «La amada tierra en todas partes/ florece en primavera y verdea de nuevo!/ En todas partes y eternamente azulada brilla la distancia!» [Todos los fragmentos de poemas que introducen los capítulos, salvo indicación en contrario, son de la traductora.]

entre lo natural y lo no natural solamente puede dibujarse teniendo en mente el propósito para el que se necesita. Y el segundo elemento debe ser informado por el primero, dado que la apreciación estética de la naturaleza, tal y como yo entiendo la idea, es la apreciación estética de la naturaleza *como naturaleza*. De esto se sigue que, tal y como entiendo la noción, no toda experiencia estética disponible de un objeto natural es una instancia o ejemplo de apreciación estética de la naturaleza. La apreciación estética de la naturaleza no es coextensiva al conjunto de respuestas estéticas a todos los objetos naturales o aspectos de lo encontrado en la naturaleza. Más bien, una respuesta estética a algo natural constituye una apreciación estética de la naturaleza solo si es una respuesta a la naturaleza *como* naturaleza, y lo que esto requiere es que sea esencial, para el carácter gratificante (o displaciente) de la experiencia ofrecida, que su objeto sea experimentado *como* natural.

Por tanto, si la extensión de una atractiva sombra de colores ocres de una floración produce placer, pero no *como* un color natural o *como* el color de un objeto natural, o el dibujo de un copo de nieve produce placer, pero no *como* algo naturalmente producido, o los colores iridiscentes de un colibrí producen placer, pero no *como* la apariencia de sus alas, aunque la experiencia sea estética y haya sido provista por la naturaleza, no es un ejemplo de apreciación estética de la naturaleza. Por supuesto, esta no es la única forma de entender la idea de apreciación estética de la naturaleza, la cual puede ser entendida, sin más, como la apreciación de cualquier cosa disponible en la naturaleza para su apreciación estética –cualquier cosa natural o fenómeno susceptible de apreciación estética–. Además, no existe un requerimiento puramente estético por el que algo natural deba ser apreciado estéticamente como la cosa natural que es, o como algo de una cierta clase natural, o como una cosa natural; y bien podría ser más gratificante, estéticamente, no hacerlo así, sino contemplarla en abstracción de su clase, centrados en su forma, texturas y colores. Pero, al igual que la apreciación artística es la apreciación del arte *como* arte, del mismo modo, hemos de entender que la apreciación estética de la naturaleza demanda la apreciación estética de la naturaleza como naturaleza.

20

¿en qué sentido es estética la apreciación de las alas? como alas? ¿Por qué no es una ample apreciación?

no entiendo que' significa "apreciación" artística del ala como ala, no como objeto artístico.

1.2. La idea de naturaleza   *¿que dar de respuesta?*

Ahora bien, si una respuesta estética a algo natural constituye una apreciación estética de la naturaleza solo si es una respuesta a la naturaleza como naturaleza, ¿qué es lo que la naturaleza significa y cómo debe ser pensada correctamente la idea de naturaleza, tal y como esta figura en la apreciación estética de la naturaleza?[2] En un sentido, todo es parte de la naturaleza, puesto que hay un sentido en el que la naturaleza es justamente la totalidad de lo que es el caso. Pero este sentido inclusivo no distingue a la naturaleza de cualquier otra cosa, y lo necesario es una distinción dentro de la naturaleza, cuando la naturaleza es entendida en este sentido abarcante como «el mundo».

¿En qué consiste la naturaleza? Bueno, hay sustancias naturales (oro, agua), especies naturales (animales, insectos, árboles, arbustos, plantas), fuerzas naturales (gravedad, magnetismo), apariencias naturales (el cielo, amaneceres y puestas de sol, arco-iris, sombras), fenómenos naturales (ríos, viento, lluvia, nieve, nubes), productos naturales de seres vivos (cantos de pájaros, presas de castores, nidos de pájaro, telas de araña, heces, el olor de un rosa), etc. Pero, en un sentido, la naturaleza consiste en cosas naturales individuales en relación unas con otras. Estas cosas son ejemplares de clases naturales –especies naturales y sustancias naturales– e interactúan a través de la operación de fuerzas naturales. Así, en la naturaleza hay, por un lado, ítems espacio-temporales individuales; por otro, las clases de las que estos son instancias y fuerzas bajo cuya influencia se afectan mutuamente. Pero, ¿qué es lo que hace natural a cualquiera de estas cosas?

Los objetos naturales son frecuentemente comparados con objetos manufacturados, incluso, en el caso de artefactos resultantes de objetos naturales, solo modificados. Pero la distinción entre qué es lo hecho por el hombre[3] y qué no lo es dividirá el mundo entre

---

[2] En un contexto diferente, David Hume escribió: «nuestra respuesta a esta pregunta depende de la definición de la palabra "naturaleza", de la que no hay otra más ambigua y equívoca» (Hume, 1992: L. I, pt. I, § II).

[3] «Hecho por el hombre» es aquí entendido no solo en un sentido libre de género, sino incluyendo cualquier cosa hecha por otras especies inteligentes no humanas, como resultado de una decisión de hacerlo, si hubiera tales especies en el universo.

lo natural y lo no-natural solamente si la idea de arte o de habilidad está encajada en la idea del hacer, y quizá ni siquiera en ese caso. Los seres humanos hacemos otros seres humanos, usualmente por medios naturales, no por arte o como habilidad, a menudo sin la intención de hacerlo, y el cuerpo humano sigue siendo un objeto natural sin importar cómo pueda ir vestido, estar formado o coloreado por el diseño humano. Pero en la medida en que se trata de un producto humano (habitualmente un auto-artefacto), es un ítem natural marcado por la actividad humana, incluso aunque no esté estetizado por diseño humano alguno. En un sentido, lo que hace de un cuerpo humano un objeto natural –tanto si ha sido producido por medios naturales o artificiales– es el hecho de que su principio de crecimiento tal y como perdura a lo largo del tiempo es asunto de la naturaleza, no de contribución humana: al igual que sucede con ciertas clases de objetos naturales, con los árboles, por ejemplo, con todo lo viviente, de hecho, el patrón de crecimiento del cuerpo humano es inherente a él mismo. Por ello, qué es lo natural no debe ser pensado como qué es «lo humano, ni en sí mismo, ni en su origen»[4], y no debe oponerse a lo que es hecho por el hombre, sino a lo arte factual (a la obra del artificio humano)[5]. Esta oposición entre lo natural y lo arte factual capta el significado principal de la idea de naturaleza tal como figura en la apreciación estética de la naturaleza, aunque hay complicaciones ocasionadas por el hecho de que un objeto de observación puede ser, en un número de maneras diferentes, parcialmente natural, parcialmente arte factual, y también algo que es un *objeto* natural puede, sin embargo, no estar en un *estado* natural.

De esta forma, necesitamos distinguir la apreciación estética de la naturaleza (como naturaleza) de la apreciación de la naturaleza

[4] Ver Passmore (1980: 207).
[5] Creyendo que algún grado de artefactualización es necesario en la apreciación estética, Allen Carlson (1998: iii, 348) afirma que la conceptualización y el entendimiento humano de la naturaleza es una forma de artefactualización y, aunque mínimo, es suficiente para asegurar la apreciación estética de la naturaleza. Pero esto es malinterpretar la noción de lo artefactual: la artefactualización no es necesaria para la apreciación estética, y tampoco conceptualizar o entender algo (un copo de nieve, con su estructura cristalinamente bella, pongamos) lo convierte en un artefacto.

como artefacto. Pero ello presupone –lo que para mí es verdad– que la naturaleza no es un artefacto, asunción rechazada por los teístas, quienes creen que la naturaleza es una creación divina. Ahora bien, aquellos que mantienen que la naturaleza es un artefacto divino y se deleitan estéticamente en él como tal creación de Dios aprecian la naturaleza como artefacto (pero no por ello como obra de arte, a menos que sea una intención divina revelada que se reconozca como diseñada para tal apreciación). Si entendemos que la apreciación estética de la naturaleza requiere que la naturaleza no sea vista como un artefacto, esto parece regular que la apreciación estética de la naturaleza, como apreciación de un artefacto divino, caiga fuera de la apreciación estética de la naturaleza como naturaleza; pero un artefacto, normalmente, es algo hecho de aquello que está presente en la naturaleza, y la creación de la naturaleza *ex nihilo*, más bien que de lo natural ya pre-existente, debería ser pensada en virtud de su carácter excepcional, como excluida de todo requerimiento. Sin embargo, la apreciación estética de la naturaleza como artefacto divino concibe la naturaleza como habiendo sido diseñada y, puesto que interpretamos un diseño de Dios en ella, su apreciación difiere en un aspecto crucial de la apreciación estética de la naturaleza como naturaleza, no como artefacto. De hecho, si Dios es concebido como ser todo poderoso, entonces todo lo creado por Dios alcanzará su finalidad, cualquiera que pueda ser. Dado que la apreciación estética de un artefacto implica la apreciación de su ser algo o pobremente, o bien diseñado para cumplir su finalidad, aquellos que se deleiten estéticamente en la naturaleza como creación divina deberán contemplarla, hasta donde afecta a este aspecto de la apreciación estética de un artefacto, como satisfactoria (aunque los propósitos de Dios puedan a menudo o siempre ser misteriosos, y ello pueda incluir la creación de objetos que pretendan ser estéticamente no atractivos o no placenteros al ser humano).

Por consiguiente, si la apreciación estética de la naturaleza, como yo entiendo la idea, es apreciación de la naturaleza como lo que la naturaleza de hecho es, entonces se requiere no solo que la naturaleza sea apreciada como naturaleza, sino que esta apreciación no consista en apreciar la naturaleza como artefacto. Por tanto –dado que una obra de arte es un artefacto–, requiere que esencialmente no involucre percibir o imaginar la naturaleza como obra

[anotación manuscrita: pero la apreciación es artística. la apreciación artística de la naturaleza como naturaleza, no como obra de arte]

de arte. De ello se sigue que una clase de apreciación a la que se opone la apreciación estética de la naturaleza es la apreciación artística, de manera que la apreciación de la naturaleza como arte es diferente de la apreciación estética de la naturaleza[6]. De ese modo, si un observador adoptara frente a la naturaleza una actitud apropiada para una obra de arte, contemplándola como si fuera tal, la experiencia resultante, aunque estética y dirigida a la naturaleza, caería fuera de la apreciación estética de la naturaleza. Por supuesto, es posible apreciar la naturaleza *como si fuera una bella imagen de la naturaleza* –la naturaleza como pintoresca (en un sentido de la expresión)–, aunque las ocasiones en las que hacerlo sería algo natural son raras, ya que, en general, exceptuando quizá los paisajes, la naturaleza no nos asalta como si se pareciera a una imagen pictórica –como podría ser el caso cuando las condiciones de iluminación prevalecientes debilitaran ampliamente la impresión de la tercera dimensión–, y otras ocasiones requerirían la adopción de una actitud peculiar frente al mundo, una a la que la naturaleza no nos invita. Pero esta posibilidad no viene al caso, dado que apreciar la naturaleza como si fuera una imagen pictórica no es apreciar la naturaleza como naturaleza. En suma: la apreciación estética de la naturaleza, como yo entiendo la idea, es idéntica con la apreciación estética, no de aquello que es naturaleza, sino de la naturaleza *como naturaleza y no como arte (o artefacto).*

¿Se ciñe la apreciación estética de la naturaleza a los individuos (y a los individuos en su mutua relación) o se extiende también a sus clases? Esta disyunción, de hecho, no agota las posibilidades. Schopenhauer no sostuvo ninguna de estas posiciones, sino que, en su lugar, mantuvo que la apreciación estética de la naturaleza –de la belleza de los objetos naturales individuales– es esencialmente apreciación de clases naturales (entendidas como ítems atemporales), las cuales se nos muestran en la percepción de instancias indi-

---

[6] De ello se sigue que aquellos que han asignado primacía a la apreciación estética del arte difícilmente podrán acomodar la apreciación estética de la naturaleza como naturaleza. La concepción de la estética que posteriormente ofrezco ni asigna prioridad a la apreciación del arte, ni a la apreciación de la naturaleza. Por supuesto, el arte puede ser impuesto sobre la naturaleza, en cuyo caso la apreciación estética combinará la apreciación estética del arte con la apreciación estética de la naturaleza como naturaleza. Ver n. 9.

viduales: no apreciamos objetos naturales individuales, ni clases naturales como si se cumplieran en formas o individuos específicos, sino clases naturales mismas disponibles para nosotros a través del medio de los individuos que percibimos. Pero él abrazó esta concepción de una forma peculiar: las clases naturales, aunque no-espaciales y atemporales, esencialmente son ítems perceptibles, objeto para un sujeto, «representaciones». En la apreciación estética de la naturaleza tenemos una conciencia perceptiva especialmente vívida y convincente de la naturaleza interior esencial de la clase natural que un individuo ejemplifica, y cada clase natural es bella (Schopenhauer, 1969: i, §41; 1974: ii, §212)[7]. De la posición de Schopenhauer se sigue —y él explícitamente dibujó esta conclusión (Schopenhauer 1969: i, §41)— que desde un punto de vista estético no es importante cuál sea la instancia de una clase natural que esté siendo contemplada: las diferencias entre instancias son estéticamente irrelevantes, ya que lo que resulta de la contemplación estética, lo cual requiere no contemplar la posición de un ítem en el espacio y en el tiempo, ni tampoco su individualidad, es siempre la misma: a saber, conciencia de la clase natural misma como el objeto apropiado de contemplación estética. Aunque el hilo de pensamiento de Schopenhauer no es convincente, sugiere una diferencia importante entre la apreciación estética de la naturaleza y la apreciación del arte: mientras que dos objetos exactamente iguales de la misma clase natural, dos melones, colibríes o truchas indistinguibles, por ejemplo, deben tener el mismo valor estético en sí, dos objetos exactamente iguales, como a menudo se ha señalado, pueden diferir en significado artístico con la consiguiente diferencia resultante en su valor artístico[8].

---

[7] Que el pensamiento de Schopenhauer acerca de la estética apele a conjuntos de objetos naturales, más que a la contemplación estética de cosas naturales individuales, revela la dificultad que tuvo en acomodar las reflexiones alcanzadas por su propia experiencia estética dentro del marco general de su metafísica y su estética.

[8] Ver Walton (1970) y Danto (1983). Creo que sería equivocado oponer resistencia a mi conclusión sobre un comentario de Aldo Leopold (1989: 169): «Consideremos... una trucha criada en una piscifactoría, recientemente liberada en un arroyo esquilmado por la pesca. El arroyo no es capaz de producir naturalmente más truchas. La polución ha contaminado sus aguas, o la deforestación y

1.3. La naturaleza no prístina

Aunque sería equivocado pensar en la naturaleza como una parte del mundo que no ha sido modificada o significativamente afectada por la acción humana, gran parte de la naturaleza terrestre no ha permanecido en su condición natural, sino que ha estado sujeta a la intervención del hombre. Hemos domesticado animales salvajes y desarrollado nuevas variedades de plantas por medio de siembras seleccionadas, hemos transplantado especies nativas de un área a otras partes del mundo y hemos embalsado ríos con presas, se ha cogido tierra del mar, las colinas han sido transformadas en terrazas, los mares contaminados, los bosques talados, y así indefinidamente.

En algunos casos, la influencia del hombre es detectable sin un conocimiento especializado, quedando manifiesta en el resultado, al menos a corto plazo; pero a menudo no sucede así. De cualquier forma, gran parte de nuestro entorno natural, para bien o para mal, muestra la influencia del hombre, habiendo sido formado, en mayor o menor medida, y en variedad de formas, por propósitos humanos, de manera que apenas una pequeña parte del paisaje del mundo permanece en condiciones naturales. Si algún segmento

los atropellos la han templado y convertido en una ciénaga. Nadie diría que esta trucha tiene el mismo valor que una completamente salvaje, capturada en un arroyo no dañado en las altas montañas. Sus connotaciones estéticas son inferiores, aunque su captura pueda requerir habilidad.» Leopold se interesa por el valor de trofeo de los objetos, como los del juego o la pesca, que es función del ejercicio de ciertas habilidades. La persistencia o la distinción en la superación, la ventaja en ingenio o la reducción a posesión del trofeo, cuyo valor reside en esas connotaciones, pertenecen al trofeo. El control intensivo del juego o de la pesca disminuyen el valor del trofeo, al hacerlo artificial. Pero no existe una buena razón para estar de acuerdo con la visión de valor de trofeo de Leopold como característica estética del trofeo: el valor de trofeo es meramente una cuestión de que el trofeo es un recordatorio de lo que costó capturarlo y de la satisfacción derivada del ejercicio exitoso de las habilidades de uno al hacerlo. Además, incluso si el valor de trofeo de una trucha recién liberada es menor al de otra completamente salvaje, el valor estético de la primera para alguien preocupado solo por la apreciación de la apariencia de la trucha y sus movimientos, no es de ese modo menor que el de la segunda –aunque que esté allí por la intervención humana pueda aminorar el deleite del espectador al encontrase con ella.

del entorno natural ha sido afectado por el hombre, este todavía puede ser apreciado estéticamente como naturaleza; pero si el sujeto de la apreciación es consciente de su carácter no prístino, será responsable de que sea una apreciación de la *naturaleza afectada por el hombre*. En consecuencia, nuestra experiencia estética del mundo natural es a menudo mixta –una mezcla de apreciación estética de la naturaleza como naturaleza con un elemento adicional, de carácter variable, basada en el diseño, intención o actividad humana[9].

Una escena puede consistir enteramente de objetos naturales y, sin embargo, estar construida o planeada, completamente o en parte, por el hombre. En consecuencia, la porción del mundo que un espectador está apreciando, pongamos, un paisaje, puede contener solo cosas naturales, pero incluir trazas de humanidad, en forma de huertos, campos de trigo, pastos donde se han llevado vacas a pastar, por ejemplo. Pero también podría contener ambos, objetos naturales y no-naturales, casas y puentes, por ejemplo. En los dos casos, la presencia y el carácter de los elementos no naturales puede estar determinado o no por consideraciones estéticas; y si están parcialmente determinados por consideraciones estéticas, puede ser a la luz de la apariencia de los elementos no naturales, desde el punto de vista que un espectador tenga por casualidad, o en el camino que siga, o no. Pero, a pesar de que un objeto natural a menudo no está en su estado, lugar o hábitat natural o ha aparecido solo a través de la contribución humana, o como resultado intencional o no intencional de la actividad humana, o está en una escena compuesta de objetos naturales, pero que no han sido producidos naturalmente, o es adyacente a, o está rodeado por, obje-

---

[9] Desde un punto de vista estético, la imposición del arte sobre el mundo natural o el convertir una porción de naturaleza en una obra de arte, tal y como sucede con el diseño de jardines o con el arte del paisaje, donde la apreciación estética requiere de dos formas de apreciación funcionando mano a mano, resulta de especial interés. Se dan diferencias significativas entre el denominador naturaleza «salvaje» y cualquier otra forma de naturaleza domesticada o marcada por el diseño humano, y, dentro de la segunda, se dan además diferencias más amplias, especialmente entre aquellas instancias sujetas al arte y aquellas que no lo están. Dos estudios excelentes de la estética de los jardines son los de Miller (1993) y Ross (1998).

tos no naturales, o no ha sido ubicado donde está por la naturaleza, sino por el hombre, esto no impide que pueda ser apreciado estéticamente como natural y no significa que su apreciación deba ser mixta. Puesto que que un ítem sea natural no es lo mismo que otros aspectos de la escena u otras propiedades del ítem lo sean, es posible, aunque con mayor o menor dificultad, centrar nuestro interés solamente en lo que es natural. Una cosa es que aquello a lo que estamos confrontandos sea (enteramente) natural[10]; y de qué trate la situación que apreciamos, otra. En un zoo no podemos apreciar a un animal en su entorno natural. Pero de ahí no se sigue que nuestra apreciación deba ser la de un animal enjaulado –la de un animal como si estuviera enjaulado–. Más bien, podremos ignorar sus circunstancias y apreciar al animal mismo (dentro de los severos límites impuestos por su cautiverio). Al mirar una fuente, no observamos un estado natural de cosas. Sin embargo, podemos apreciar algunas de las propiedades perceptibles del agua, una sustancia natural, en particular su liquidez, mobilidad, y la forma en la que capta la luz. Todo lo que se sigue del hecho de que gran parte de nuestro entorno natural muestre la influencia del hombre y de que habitualmente estamos frente a escenas que de varias maneras implican artificio, es que la apreciación estética de la naturaleza, si quiere ser pura, debe abstraerse de cualquier diseño impuesto sobre ella, especialmente de un diseño impuesto para lograr efectos artísticos o estéticos[11].

[10] Si para ser completamente natural una escena debe carecer de todo signo de humanidad, no puede haber gente en ella. Si todo lo que necesita es que no haya signos de artificio humano, entonces, puesto que los cuerpos humanos son objetos naturales, pero los cuerpos vestidos no lo son, aunque la escena no podría contener cuerpos vestidos, sí podría contener cuerpos desnudos –en tanto en cuanto estos no indiquen artificio. (Pero quizá pudiera pensarse que la posibilidad manifiesta de artificio humano viniera indicada por la presencia de cuerpos humanos, en detrimento de la naturalidad de la escena, evitando así este curioso resultado.)

[11] Un espectador puede no tener conciencia de que un paisaje ha sido de alguna forma diseñado por un hombre y podría deleitarse en él como en una obra propia de la naturaleza. En tal caso, aunque el placer según la forma en la que los elementos del paisaje se relacionan unos con otros es placer estético, en el cual se toma a la naturaleza como naturaleza, está mal fundado: no es placer en lo que realmente es natural como siendo natural.

1.4. Respuesta a la naturaleza como naturaleza

Pero si la apreciación estética de la naturaleza es la apreciación de la naturaleza como naturaleza, ¿qué quiere decir «responder a la naturaleza como naturaleza»? Hay dos formas en las que se puede entender, a las que llamaré concepción interna y externa; la primera obedece a una lectura fuerte de la frase; la segunda, a una lectura débil, no siendo la concepción externa problemática en absoluto. La interpretación débil entiende la idea de forma meramente negativa: una respuesta a la naturaleza como naturaleza es solo una respuesta a la naturaleza diferente a la respuesta de todo lo que pueda oponerse a ella –sea arte o artefacto, por ejemplo (de manera que no existe significado intencional o función que entender)–. De hecho, si tomamos la naturaleza como opuesta al arte, la concepción externa puede asumir dos formas, la artística y la no-artística. La no-artística interpreta que «como naturaleza» significa «en virtud de carecer las propiedades distintivas de una obra de arte». En ese caso, el espectador no es indiferente a si el objeto apreciado es obra de la naturaleza o es una obra de arte; por contra, la respuesta del espectador está basada sobre la idea de que el objeto no es arte. La interpretación fuerte de «respuesta a la naturaleza como naturaleza» requiere más que la débil: una respuesta a «la naturaleza como naturaleza» es una respuesta a la naturaleza no meramente «no como arte o artefacto», sino «en virtud de ser natural». Por consiguiente, en el caso de una respuesta estética a un ítem natural, su ser natural constituye un elemento de la apreciación, es decir, de lo que uno aprecia, de manera que fundamente y realce, disminuya o, de otra manera, transforme la experiencia. En otras palabras: por un lado, «natural» puede significar «no diseñado por el hombre [o por cualquier otra especie inteligente]», de manera que ciertos aspectos posibles de un objeto –como que sea un artefacto, una obra de arte en particular, y cualquier característica del objeto que, siendo una obra de arte u otro tipo de artefacto, sean características necesarias– han de ser considerados *irrelevantes* para su apreciación. Por otro lado, puede entenderse que «natural» implica que la apreciación debe estar *basada* en el ser natural del objeto, en cuyo caso una réplica imitativa de su apariencia, experimentada como no-natural, no serviría igual (incluso aunque

las propiedades que acumulara en virtud de ser un artefacto fueran
dejadas aparte). La primera concepción de la apreciación estética de
la naturaleza solamente requiere que la naturaleza no sea apreciada
bajo un cierto concepto, a saber, el de un artefacto; la segunda requiere que la naturaleza sea apreciada bajo un concepto, a saber, el
concepto mismo de naturaleza, o el concepto de algún tipo particular de fenómeno natural.

El requerimiento impuesto por la interpretación fuerte puede
inducir cierto escepticismo acerca de la posibilidad de apreciación
estética de la naturaleza. ¿Cómo podría estar basada una respuesta
estética en el hecho de que su objeto sea natural? ¿Cómo podría el
hecho de que un objeto sea natural ser esencial a, o estar integrado
en, una respuesta estética al mismo? La respuesta es, en resumen,
simple. Puesto que es una verdad general que nos deleitamos o que,
de otra forma, somos conmovidos por estados de cosas, procesos, etc.,
bajo ciertos conceptos o descripciones[12], las descripciones bajo las
cuales experimentamos algo afectan a la naturaleza de nuestra respuesta; de esa forma, el hecho de que experimentemos algo como
natural puede formar parte de la emoción que sentimos frente a
ello, de manera que si esa emoción es un componente de la respuesta estética al objeto, la respuesta está basada en que el objeto
sea natural.

Consideremos, por ejemplo, la apreciación estética del canto
de un pájaro. ¿Cuál es el objeto de deleite –en qué nos deleitamos–
cuando obtenemos placer estético de ese canto *como el canto de un
pájaro*? Como con todas las otras instancias de apreciación estética
de la naturaleza no tocada por las manos del hombre, la apreciación
del canto de un pájaro está libre de ciertas limitaciones del entendimiento, a saber, del entendimiento de su significado como arte.
Con ello no decimos que si uno se deleita escuchando el canto de
los pájaros, su deleite será estético solo si escucha los sonidos meramente como patrones de sonidos. Por el contrario, escuchamos
los sonidos como producto de acciones corporales [autónomas],
de voces, silbidos o trinos. Pero no los escuchamos como si estuvieran determinados intencionalmente por consideraciones artísti-

[12] Experimentar O bajo la descripción «D» es que parezca en tu experiencia
que O es D: así es como tu experiencia representa O.

¿con finalidad? Pero eso ya no es el canto como canto.

cas. Nos complacemos en la variedad del canto, aparentemente sin finalidad y sin esfuerzo, de la canción de un tordo –variaciones de tono, timbre, velocidad, ritmo y ejecución vocal, por ejemplo–, pero no como producto de artisticidad, ni como construcción guiada por consideraciones de efectividad artística. El canto consiste en una serie de frases rítmicas, de segmentos variados que difieren unos de otros en el número de frases similares que conforman el segmento y en la naturaleza de las frases constituyentes, que variarán en número, duración, timbre, intensidad y volumen, en los sonidos que las componen. Estas frases se suceden unas a otras, pero no parecen alcanzar un objeto final, un final donde deban acabar. En lugar de eso, continúan indefinidamente en el tiempo de forma que no aparentan tener un significado general. En otras palabras, escuchamos el canto como una impredecible mezcolanza aparentemente azarosa de frases. Ahora bien, no se requiere de forma absoluta que el espectador estético ignore cuál es la función real del cantar del pájaro, que tiene como finalidad afirmar su territorio y, quizás, atraer a una pareja. Sería posible, incluso, apreciar el canto no como «música», sino como especialmente adecuado a su función seductora, aunque resulta difícil ver que tal sentido de apropiación, desarrollado por cualquiera de nosotros, pudiera estar basado de forma segura en la conciencia de qué y cómo ha de ser el canto de una hembra de tordo[13]. Pero, dejando a un lado esa posibilidad, el canto de un tordo se escucha como algo atractivo, por derecho propio, con abstracción de su (posible) función seductora del sexo opuesto. El objeto de placer estético son los sonidos como emisiones «naturales» de una criatura viva y sensitiva; más en concreto, de un pájaro[14].

[13] No podemos concluir, ni siquiera razonablemente, cómo suena en el sentido más fundamental un canto de tordo sobre la base de cómo suena para nosotros, ya que, por ejemplo, el tordo podría escuchar sonidos adicionales en el canto, sonidos demasiado altos para nuestro oído.

[14] Pero, ¿es suficientemente correcto?, ¿necesitamos apreciarlo como el canto de un pájaro, específicamente, para apreciarlo completamente? Y, en ese caso, ¿necesitamos apreciarlo como el canto de un tipo particular de pájaro, un colibrí, por ejemplo? La mayoría de nosotros poseemos, en el mejor de los casos, el concepto de ciertos tipos de pájaros, y quizá una idea de la apariencia de ese tipo de pájaro, o la habilidad de reconocerlo por su canto. La apreciación estética del

31

sino un acontecimiento-pájaro.

Con este ejemplo en mente, podemos regresar y completar la respuesta que dejamos delineada a la duda escéptica. En un sentido, lo que experimentamos al tener experiencia de un ítem bajo una descripción no es lo mismo que lo que experimentamos si tenemos experiencia de ese ítem bajo otra descripción incompatible. En otras palabras, nuestra experiencia de un ítem es sensible a cómo se experimenta como algo, de manera que la experiencia de un ítem, bajo una descripción, tiene una fenomenología diferente a la de una experiencia bajo una descripción incompatible con aquella. Además, la descripción bajo la cual tenemos experiencia de algo limita las cualidades que ese algo puede manifestarnos, es decir, aquellas que puede mostrar como ítem de una clase que cae bajo el alcance de aquella descripción; y por ello, las cualidades de un ítem disponibles bajo una descripción podrían no estarlo bajo otra. De ahí se sigue que no hay dificultad en la idea de responder a la naturaleza *como* naturaleza. Por tanto, el escepticismo acerca de la idea de apreciación estética de la naturaleza debe ser focalizado específicamente sobre la posibilidad de una respuesta *estética* a la naturaleza como naturaleza. Pero en qué medida sea fácil o difícil para la naturaleza, o para un ítem particular, satisfacer el requerimiento impuesto por la concepción interna se vuelve a la idea de lo estético, específicamente, a la idea de una respuesta estética a algo. Por eso es necesario aclarar la idea de respuesta estética.

así es

1.5. *El carácter de una respuesta estética*

¿Qué hace de una respuesta una respuesta *estética*? ¿Es la naturaleza intrínseca de la respuesta o es la naturaleza de los rasgos a los cuales respondemos? ¿Qué constituye una apreciación estética en oposición a una no estética? ¿Qué es necesario, y qué suficiente, para que la respuesta a un objeto sea estética?

Se han realizado muchos intentos de capturar la noción de qué es lo estético, concentrándose en la idea de juicio estético, o en la

canto de un pájaro parece ser la misma antes y después de haber aprendido qué tipo de pájaro es, o si sabíamos que era el canto de, digamos, un tordo, o qué apariencia tiene un tordo, en reposo o en vuelo.

idea de propiedades estéticas, o en la idea de actitud estética, experiencia estética, placer, emoción, o algunos otros aspectos de lo estético. Pero, si los consideramos como intentos de atrapar alguna noción pre-teorética, comúnmente reconocida, de lo estético, sean cuales sean sus méritos, tales intentos no han merecido aprobación. Puesto que la idea de lo estético, tal y como se da en nuestros discursos cotidianos, es demasiado indefinida para merecer gran atención, su uso en filosofía posee valores múltiples y suele estar determinada por la teoría. Esto resulta evidente en el problemático alcance de lo estético, puesto que hay diferentes concepciones. Por ejemplo, podría ser utilizada en sentido amplio, como hacen algunos teóricos, para incluir la idea de apreciación artística, considerando la apreciación artística como apreciación estética de obras de arte. Pero otros prefieren un sentido más preciso en concordancia con el cual, aunque la experiencia estética –una experiencia de, por ejemplo, belleza, reposo, vivacidad, unidad, expresividad– se obtiene de obras de arte, de artefactos no artísticos y de la naturaleza, la apreciación artística no es primariamente un asunto de experiencia estética: las obras de arte no son principalmente objetos estéticos, objetos creados con la intención de proveer experiencias estéticas contemplativas, y, además, puede haber arte no-estético. Y, claramente, este punto de vista, el cual insiste sobre la distinción entre propiedades estéticas de obras de arte (gracia, digamos) y propiedades artísticas (como la originalidad), y entre una obra estética y su valor artístico, opera con un sentido más fino de lo «estético». Pero esta no es la única divergencia que puede haber, dado que algunos distinguen entre el placer estético del puramente sensorial (o sensual), como sería el placer del color o del gusto, mientras que otros piensan en el placer sensorial puro como una especie de placer estético. Algunos reclaman que el placer estético sea placer (perceptivo) estructural –distinguiéndolo, en ese sentido, del placer «puramente sensorial»–. Otros insisten en que el placer es estético solo si implica el ejercicio de capacidades conceptuales –distinguiéndolo, en este otro sentido, del «puramente sensorial». Algunos rechazan que todas las formas de apreciación artística sean estéticas, permitiendo que sean estéticas solo aquellas artes que se dirijan a un modo sensorial específico (o un número de modos tales), ubicando así la apreciación de la literatura fuera de la estética, etc.

Todo esto significa que las fronteras de la estética son inciertas y que una definición de qué sea estético no puede ser comprobada determinando si se reconocen todos y solo aquellos juicios, respuestas, intereses, actitudes, formas de apreciación o lo que quiera que caiga dentro del alcance de esas fronteras. Lo mejor que podemos esperar es, por tanto, una concepción que imponga disciplina a nuestro uso del concepto al captar lo que, una vez articulado, parezca ser central, al menos a una concepción familiar de la idea. Eso es neutral acerca de la importancia relativa o prioritaria del arte y la naturaleza dentro del campo de la estética y resuena con nuestra propia experiencia de la naturaleza, el arte y otros objetos de interés estético.

Por mi parte, sugeriría que una concepción atractiva de lo estético según las líneas requeridas es esta: una respuesta es estética, en la medida en que sea dirigida a las propiedades experimentadas de un ítem, la naturaleza y disposición de sus elementos o la interrelación entre sus partes o aspectos, e implique una reacción positiva o negativa hacia el ítem, no al satisfacer el deseo de la existencia o no-existencia de algún estado de cosas en el cual el ítem figure, sino considerado «en sí mismo» (con abstracción de cualquier relación personal que pueda haber entre sujeto y objeto), de manera que lo que gobierna la respuesta es si es intrínsecamente gratificante o desagradable la experiencia del objeto en sí misma. «Un ítem» incluye no solo objetos físicos o combinaciones de objetos, sino también la actividad o el comportamiento de cosas vivientes o no-vivientes, eventos o procesos de otras clases, meras apariencias, y cualquier otro tipo de cosas susceptible de apreciación estética. Por «propiedades experimentadas» entiendo aquellas propiedades que experimentamos que el ítem posee, según la percepción, el pensamiento o la imaginación, y la noción ha de ser entendida en un sentido plenamente abarcante, cubriendo no solo las propiedades inmediatamente perceptibles, sino también las relacionales, representacionales, simbólicas y emocionales, tal y como estén desarrolladas en el ítem, e incluyendo la clase o el tipo de cosa que experimentamos que es el ítem. Por reacción positiva, entiendo una reacción de atracción hacia el ítem que implique la disposición a continuar prestándole atención; por una negativa, lo contrario. (Permitiría la posibilidad de que se diera una respuesta mixta, de horror fascinado, por ejemplo, o la experiencia de doble aspecto de lo sublime)[15]. Según la concepción kantiana del placer, tales reacciones serían experiencias de placer y displacer, respectivamente. Puesto que, aunque Kant contemplara el placer como indefinible, sostuvo que para que una representación sea placentera es esencial que posea una causalidad inherente a ella que tienda a preservar la continuación de tal estado. Si, como yo creo, sostuvo asimismo lo inverso, su noción de una experiencia placentera es prácticamente la misma que la de una experiencia inherentemente gratificante. Pero no es esencial a mi concepción de una respuesta estética que estas reacciones deban pensarse como formas de placer o displacer. En una concepción del placer más fina que la de Kant, aunque una reacción positiva bien pueda ser una experiencia de placer, no tendría por qué ser necesariamente así. Lo que es esencial en una reacción positiva es que el sujeto encuentre que la experiencia del objeto resulta, de forma inherente, gratificante. La condición de que la reacción positiva o negativa no sea la satisfacción del deseo de la existencia o no-existencia de algún estado de cosas en el cual figure el objeto de la respuesta −condición que una respuesta estética debe, según entiendo la noción, satisfacer− es necesaria para asegurar que el placer estético [o el displacer] sea «desinteresado» en el sentido kantiano. Que el placer no sea un interés −sea desinteresado− significa que no ha de ser placer *proposicional*, placer en un hecho, y ello implica que el placer no es la satisfacción de los deseos del sujeto de que el mundo sea de una cierta manera. Ningún placer proposicional es placer estético.

Una concepción tal de la respuesta estética se aplica a la naturaleza y al arte; permite la apreciación estética del deporte, del malabarismo, de actos de circo, del mobiliario, ropa, vino, coches de carreras, maquinaria, herramientas de todo tipo, y mucho más; no

---

[15] Un juicio estético evaluativo −uno que evalúe un ítem estéticamente− atribuye algún grado de valor estético, positivo, negativo *o cero*. En concordancia con esto, la idea de una respuesta estética podría ajustarse así hasta incluir una de *indiferencia*. Alternativamente, un juicio estético valorativo que atribuya un grado cero de valor estético podría considerarse como expresión del hecho de que el sujeto no tiene respuesta estética alguna hacia el ítem juzgado, lo cual no requerirá de ajuste alguno. La elección entre estas alternativas carece de importancia.

hace discriminaciones en contra de ciertas clases de propiedades perceptibles en favor de una clase privilegiada; y no restringe la experiencia estética a una pequeña clase de categorías (como las experiencias de lo bello y lo sublime)[16]. Para el presente propósito no importa si esta concepción agota exhaustivamente la naturaleza de la respuesta estética, o si es inferior a otras concepciones alternativas, mientras la satisfacción de la condición que articula se considere suficiente para que una respuesta sea tenida por estética.

1.6. Una respuesta estética a la naturaleza como naturaleza

Por ahora entendemos la idea de (la concepción interna de) una respuesta a la naturaleza como naturaleza, y también la idea de respuesta estética. Si casamos estas dos ideas obtenemos la de una respuesta estética a la naturaleza como naturaleza. A lo que llegamos es, en efecto, a la idea de una respuesta a un ítem natural, basada en su naturalidad –en formar parte de la naturaleza o en ser un ítem específico de una clase– y enfocada en la relación o estructura de los elementos o los aspectos del ítem, experimentándolo como intrínsecamente satisfactorio, insatisfactorio, o desagradable y siendo el carácter hedónico de la reacción «desinteresado». De esa forma la cuestión es si –y, si lo es, cómo– la naturaleza, o un ítem natural particular, puede ser el objeto intencional de tal respuesta. ¿De qué forma, si hay alguna, puede el hecho de que algo sea natural, o un cierto tipo de cosa natural, fundar una respuesta estética?

Cómo puede la simple naturalidad de un objeto –el mero hecho de que el objeto sea natural, no que sea una cosa natural de

---

[16] Tradicionalmente, la apreciación estética de la naturaleza a menudo fue pensada como consistente en dos tipos (positivos): la experiencia estética de lo bello y la experiencia estética de lo sublime. En qué medida esta tipología pueda ser comprehensiva, y en particular si es exhaustiva con sus posibilidades, depende de cómo se caractericen estas dos experiencias estéticas. No será exhaustiva a menos que lo bello cubra todas las respuestas estéticas puras positivas posibles a la naturaleza y lo sublime todas las respuestas positivas con un mezcla de emoción negativa.

una cierta clase– fundar apropiadamente una respuesta estética, es algo severamente limitado[17], puesto que lo que es común para todo ítem natural, en virtud de ser natural, es solo una característica negativa, no positiva: no deben ser productos de habilidad humana, diseño o artificio. Esto solo nos deja la posibilidad de maravillarnos frente al hecho de que algo tan bello, atractivo o notable como *esto* –un arcoiris o la exquisita hoja en forma de abanico de un ginko, por ejemplo– sea producto de la naturaleza. De manera que, si la idea de apreciación estética de la naturaleza como naturaleza (en la concepción interna) es coherente y la apreciación estética de la naturaleza puede tener una fundamentación más sustancial que la mera naturalidad de sus objetos, debe haber aspectos o propiedades que un ítem natural posea y en virtud de los cuales pueda ser apreciado estéticamente como natural. ¿Qué clase de rasgos podrían ser estos?

Ahora bien, la naturaleza muestra una notable variedad de clases de cosas muy diferentes –vivientes y no-vivientes, sentientes y no-sentientes, animales y no-animales, etc.–, y la apreciación estética de la naturaleza se extiende sobre todo[18], a menudo en más de un sentido, incluyendo tanto un modo perceptivo único o una combinación, centrándose en un objeto natural simple, en reposo o en movimiento, en un momento determinado o a lo largo del tiempo, o un producto de un objeto natural, o un complejo de ítems naturales, o un proceso natural, o una apariencia o impresión (quizá una cambiante, como cuando la niebla desaparece lentamente, amanece o anochece). Sería, por tanto, excepcionalmente impo-

---

[17] Compare y contraste la dificultad de ver cómo el mero hecho de que un ítem sea una obra de arte –más bien que alguna propiedad específica que posea en virtud de no ser natural, sino obra de arte– podría basar una respuesta estética al ítem *como* obra de arte.

[18] La apreciación estética de la naturaleza está restringida a menudo a lo «macroscópico». Pero no hay ninguna buena razón para excluir a las entidades microscópicas o las apariencias de ítems naturales (copos de nieve, por ejemplo) cuando no son vistos con una mirada desnuda sino a través de un microscopio. No existe una diferencia relevante entre la percepción simple sin ayuda, la percepción por medio de un microscopio y muchas otras formas de percepción mediada a través de ayuda –la percepción de objetos distantes por telescopios ópticos, por ejemplo.

nente y probablemente infructuoso intentar desarrollar una visión exhaustiva de los tipos de aspectos en virtud de los cuales cualquier ítem natural pudiera ser apreciado estéticamente *como* natural. Pero el principio que subyace a tal intento resulta claro. La cuestión crucial es: ¿qué cualidades capaces de apreciación estética –en sí mismas o en virtud de su contribución a un efecto o estructura estética general– podría poseer un ítem en virtud de ser natural o en virtud de ser un ítem natural de un cierto tipo? Lo que se requiere es la identificación de las características capaces de figurar en la apreciación estética, tanto si es positiva como negativa, y que se acumulen en un ítem solo en virtud de su ser un ítem natural de un cierto tipo.

Resulta sencillo poner ejemplos de tales características. Por ejemplo, hay cualidades que pueden acumularse en algo solo porque es una forma de vida. Una cosa viva tiene una historia de un tipo distintivo, una vida de crecimiento y declive, alimentada por su entorno, a merced de los elementos, respondiendo quizá o anticipándose a los cambios de las estaciones con una apariencia externa determinada por procesos y estructuras naturales propias, y esto hace posible que veamos su condición, en un cierto momento, como estado o fase de su desarrollo en el cual está floreciendo o marchitándose, un estado de necesidad o decadencia, y en contraste con condiciones anteriores o posteriores. Así, el hecho de que un ítem natural sea un árbol permite que su forma sea vista como determinada por su naturaleza interna, y que sus condiciones, en cualquier momento del año, sean vistas como determinadas por el ciclo de las estaciones. Esto hace posible que el observador estético se deleite no solo en la apariencia visual de su florecer, digamos, sino en lo que ello indica, y experimentar el florecimiento de un árbol como una manifestación y bella expresión del resurgir de la vida desencadenada por la llegada de la primavera; o a maravillarse ante la forma en la que el árbol, limitado por su naturaleza intrínseca, se ha adaptado a las limitaciones impuestas por su ubicación, su entorno y clima. De nuevo, hay muchas clases de cualidades que se suman en un ítem en virtud de su ser un ente que siente, capaz de locomoción. Por ejemplo, solo las criaturas vivientes pueden ser contempladas mirando a otras o, de otra forma, percibiendo el mundo y, en particular, siendo conscientes de la presencia de otra criatura y así, explorando, cazando, lanzándose al agua, luchando por un territorio o comprometido en rituales de cortejo; y hay estilos de movimientos específicos de ciertas criaturas, como sucede con los graciosos movimientos de una gacela, y estilos de movimiento de los que solamente un cierto tipo de criaturas son capaces, como sucede con las distintas formas de vuelo de los pájaros. Ello abre la posibilidad de un deleite estético distintivo de una clase –el retozar de una nutria o una escuela de delfines jugando, el comportamiento explorativo de un cachorro de lobo o la excepcional maniobrabilidad aérea de una libélula (enriquecida por sus delicadas alas enjoyadas y sus cuerpos de colores brillantes), por ejemplo–. Además, tanto las partes de los seres vivientes como las de los no vivientes, animales y plantas, por ejemplo, poseen funciones naturales, y una criatura viviente tiene un estilo de vida determinado por su naturaleza. En cada tipo de caso hay un posible foco de deleite estético centrado en la idea de adecuación: las partes de estas cosas vivientes pueden ser vistas como manifiesta o sorprendentemente adecuadas para el desempeño de sus funciones, especialmente en un clima y entorno dado, y la criatura puede ser vista como perfectamente idónea a su estilo de vida. Como ya escribiera David Hume (1961: §VI, pt. II): «es evidente que una considerable fuente de belleza en todo animal es la ventaja que disfrutan de la particular estructura de sus órganos y miembros, adecuados a una forma de vida particular, a la cual están destinados por naturaleza –como sucede con la estructura... del pájaro carpintero, con sus patas, cola, pico y lengua, tan admirablemente adaptados para cazar insectos bajo la corteza de los árboles–» (Darwin, 1929: 2). Las conocidas líneas iniciales de «The windhover» de Hopkins, que pretenden capturar la forma de volar del halcón y la respuesta emocional de un observador ante la envidiable habilidad que hace posible que el halcón crezca y se desarrolle en el elemento en el cual habrá de vivir nos proveen de un vívido ejemplo:

«Encontré, esta mañana, al rey de la mañana,/ al príncipe del reino de la luz, al halcón embebido/ en el alba moteada, galopando en el aire,/ firme embridando el viento en las alturas./ Brinca tascando el freno con el alón rizado/ en éxtasis. Como cuhillo de patín de un giro burlando el ventarrón. Mi corazón se alegra por un pájaro: todo maestría y belleza»[19].

Como muestran estos ejemplos, no existe una dificultad inherente al concepto de apreciación estética de la naturaleza: cualquiera que sea la concepción preferida de respuesta a la naturaleza como naturaleza, la idea de apreciación estética de la naturaleza como naturaleza es coherente y es posible que se funde sólidamente sobre características que los ítems poseen en virtud de ser ítems naturales de cierto tipo.

1.7. Conocimiento de la naturaleza

Una mayor aclaración de la idea de apreciación estética de la naturaleza se consigue al resolver un número de cuestiones conectadas entre sí acerca de la identificación de cosas naturales, de la ignorancia de su naturaleza, de los errores acerca de ellas y de la relevancia del entendimiento «científico». ¿Qué clase de entendimiento de la naturaleza requiere una apreciación estética correcta y plena? ¿Necesitamos del conocimiento del científico de la naturaleza –el naturalista, el geólogo, el biólogo y el ecólogo–?[20] ¿Experimentar algo bajo su comprensión científica nos hace profundizar o mejorar su apreciación estética? ¿Importa estéticamente si experimentamos algo correctamente como un cierto tipo de fenómeno natural o de una clase natural C? ¿Importa si experimentamos equivocadamente algo como de un cierto tipo natural?[21]

---

[19] Traducción, José Julio Cabanillas, en *Poemas*, G.M. Hopkins, Sevilla, 2001, Renacimiento.

[20] Tal y como discute Allen Carlson: ver, por ejemplo, Carlson (1979*a*).

[21] La cuestión concierne a la mala identificación de la clase natural a la cual pertence el objeto, no a la mala identificación de un objeto natural como obra de arte, o viceversa. Esta otra cuestión (junto con muchas otras, especialmente las importantes diferencias que se dan entre la apreciación estética de la naturaleza y la apreciación artística, sobre las que no he mencionado nada en este ensayo) está bien tratada en el texto seminal de Hepburn (1966). Hay otras formas de malinterpretar el mundo natural que afectan a la apreciación estética de la naturaleza, pero no competen al asunto que aquí estoy tratando.

¿Importa si alguien no está equivocado sino que ignora la clase natural del objeto que está apreciando?[22]

Está claro que la mera habilidad de identificar cosas como pertenecientes a ciertos tipos sobre la base de su apariencia, de clasificarlos (tanto bajo categorías cotidianas como técnicas), de darles nombre –a las nubes, por ejemplo– no provee por ello al sujeto de una apreciación más rica de la naturaleza, aunque pueda ser resultado de, alentar o facilitar, una conciencia más rica, fina o elevada de ciertos rasgos naturales[23]. Pero hay casos en donde el conocimiento de la naturaleza de un fenómeno –no meramente la habilidad de identificar su tipo– puede transformar nuestra experiencia estética de la naturaleza. La gente tiene ideas más gruesas o delgadas sobre la naturaleza de los fenómenos que ven o que perciben de otra manera bajo conceptos de esos fenómenos: los niños tienen ideas muy delgadas y los adultos tenemos ideas más amplias y de mayor grosor. Cuanto más amplia es la concepción, mayor resulta el material disponible para transformar la experiencia estética de la naturaleza del sujeto. De ello se sigue que la gente pueda agrupar sus percepciones de fenómenos naturales en diferentes niveles de comprensión, profunda o superficial. Si tenemos el tipo correcto de comprensión de la naturaleza, podemos asociar a nuestras experiencias perceptivas de la naturaleza pensamientos relevantes, emociones e imágenes no disponibles para aquellos que carecen de ese entendimiento –como cuando vemos una «estrella fugaz», como el resplandor de un meteoro ardiendo en la atmósfera terrestre; o un cráter gigante, como si hubiera sido producido por el impacto de un meteorito; o un cañón, como si hubiera sido cortado por un río que fluye veloz; o una montaña, como un bloque de roca enorme elevado por grandes presiones bajo la superficie terrestre; o –en un caso extremo– el Himalaya, como producto de una colisión entre el sub-continente indio y la mayor parte de Asia; o la

---

[22] La ignorancia acerca de la clase natural que se está apreciando puede ser más o menos extrema: uno podría ver una flor no como una flor, sino solo como un objeto natural tridimensional de algún tipo que sobresale de la tierra; o uno podría ver un lirio arum como una flor de algún tipo, pero que no reconoce.

[23] Pero a menos que veamos a O como siendo de la clase natural C, no podremos experimentarlo como siendo o no siendo un espécimen especialmente bello de *esa clase*.

obsidiana, como un cristal volcánico carbónico de color negro, compuesto de lava rápidamente enfriada; o estalactitas, estalagmitas y helictitas, como formados por minerales depositados por gotas de agua; o un orobanche, como parásito que se alimenta de otras plantas–. Y la transformación que sufre nuestra experiencia cuando obtiene conocimiento relevante lleva consigo la posibilidad de tener variedades de apreciación estética de la naturaleza y especies de respuestas estéticas emocionales que de otra forma no estarían disponibles[24]. Consideremos la apreciación estética de las nubes o de un paisaje del cielo. Al igual que un rayo no es meramente un fenómeno óptico, sino una violenta, y en ocasiones peligrosa, descarga de electricidad, de esa misma forma, las nubes no son meramente fenómenos ópticos, sino agregaciones de microscópicas gotitas de agua suspendidas en la atmósfera. Sus formas en, aparentemente, dos o tres dimensiones y su coloración pueden ser, y a menudo son, bellas, pero su apreciación estética no está relegada a estos aspectos visibles. Dado que las nubes son masas de tres dimensiones, compuestas de diminutas gotas de agua, formadas por, a la merced de y traídas por procesos en la atmósfera, en la que flotan, son al final encontradas, se desvanecen o expanden rápidamente, etc., poseen otros aspectos abiertos a la apreciación estética, más allá de sus formas y colores. Las transformaciones en la apariencia del cielo traídas por los cambios en las nubes, que en ocasiones despliegan espectaculares dramas, son vistas por el espectador avezado como la expresión de varias fuerzas naturales en acción en la atmósfera y son estéticamente apreciadas como tales. Si al mirar una nube identificamos su tipo como cumulonimbus, nuestra experiencia estética no queda transformada por ello. Pero si, en virtud de un conocimiento adicional, observamos que en su parte superior tiene forma de yunque y en la base es irregular y la tomamos como una nube

---

[24] La transformación de la percepción que es efecto del conocimiento de la naturaleza de un objeto de apreciación estética no tendrá como resultado, por medio alguno, la intensificación del deleite estético. Al contrario, podrá disminuir o borrarlo, como podría suceder si contemplamos una planta como venenosa, o la bella apariencia de una anémona marina turquesa puede ceder o desparecer cuando sus protuberancias son contempladas como tentáculos con capacidad de paralizar pequeñas presas y su centro verdoso se ve como su boca.

de tormenta, nuestra impresión de la nube podría cambiar, puesto que podríamos otorgarle, en un sentido, poder a la nube y observarla como formada por fuerzas poderosas desplegadas en ella; y este sentido de poder informaría nuestra experiencia, modificando la naturaleza de nuestra respuesta estética[25]. O consideremos la experiencia de mirar la Vía Láctea. Siendo niños, nuestra experiencia era la de una banda con una cierta apariencia lechosa que recorre el cielo nocturno. Podríamos llegar a verla como la apariencia de una excepcional congregación de estrellas en esa región del cielo nocturno, sin poseer mayor conocimiento de ello. Finalmente, cuando uno alcanza la verdad de lo que está viendo, y por qué lo está viendo, nuestra experiencia puede asumir una naturaleza muy distinta: ahora experimentamos la Vía Láctea como la visión del corazón de nuestra galaxia, y por el uso de nuestra imaginación nos vemos a nosotros mismos localizados en un pequeño planeta de una estrella menor en uno de sus brazos en forma de espiral cerca del borde de la galaxia a cuyo corazón estamos mirando. Una correcta comprensión de lo que es visible en el cielo nocturno hace así posible una transformación de nuestra experiencia, desde una condición en la cual nos impresiona un sendero lechoso que atraviesa el cielo, a una en la que nuestra posición en el universo –la suya y la de cualquier otro que usted aprecie– se pone de manifiesto ante nosotros de una forma que fortalece la conciencia del minuto escénico en el cual se extiende la historia de la humanidad, el estatus periférico de lo que acontece en la Tierra, incluso en nuestra galaxia, la imponente inmensidad de la multitud de estrellas que componen esa galaxia y nos damos cuenta de que estamos aislados de otras civilizaciones cualesquiera, quizá incontables, presentes en otros lugares del espacio, de cuyas distintas naturalezas e historias permaneceremos ignorantes, sin importar lo fascinantes que puedan ser. Tales pensamientos, amarrados a nuestra experiencia perceptiva, constitu-

---

[25] Este es un buen ejemplo de lo que Hepburn (1966) denomina «darse cuenta»: –hacer vívida a la percepción o imaginación la naturaleza de un objeto percibido (la tremenda altura y las turbulencias interiores de una nube cumulonimbus, por ejemplo). Él correctamente lo identifica como una de las actividades dominantes en la apreciación estética de la naturaleza.

yen un cambio de perspectiva importante, y probablemente produzca una de esas peculiares combinaciones de estados mentales denominados experiencias de lo sublime –en este caso un sentimiento de asombro, combinado con una experiencia de vulnerabilidad, entretejida con un sentido de relativa insignificancia de nuestra individualidad, un estado mental con un lado negativo y positivo, una dualidad frecuentemente pensada como distintiva de la experiencia de lo sublime[26].

Pero ello no quiere decir que el conocimiento de la naturaleza de un fenómeno siempre dote al sujeto de la habilidad de transformar su percepción del mundo y le facilite una mejora de la apreciación estética. Muchos de nosotros conocemos la explicación del porqué de un arco-iris, pero no tantos conocemos la explicación de los arcos supernumerarios. En cualquier caso, parece que la posesión de la explicación no hace posible una experiencia estética de su objeto que, de otra forma, no estaría disponible. Muchos de nosotros sabemos que el agua es H_2O, pero este conocimiento no nos facilita una apreciación estética más rica acerca del agua, en el rocío, en la niebla, lluvia, nieve, ríos, cataratas, por ejemplo. Para que el conocimiento de la naturaleza de un fenómeno natural sea capaz de efectuar una transformación de la experiencia estética que un sujeto posea debe ser tal que pueda permear o informar la percepción del fenómeno, de forma que el sujeto lo vea como diferente de aquel que alguien carente de ese conocimiento pueda ver. Nosotros no vemos al agua o al cobre de forma diferente a como lo haría alguien que ignore su naturaleza: no vemos al agua como H_2O, ni al cobre en posesión de su número atómico 29, puesto que el conocimiento que ofrece a nuestra percepción no es integrable en la percepción de forma que genere un nuevo contenido perceptivo-imaginativo de la experiencia.

Si experimentamos equivocadamente un ítem como de la clase natural C, entonces, por supuesto, nuestra apreciación estética estará mal fundada. Pero mal-interpretar un ítem como de cierta clase natural no posee significación estética alguna si, primero, no hay error en la percepción y, segundo, el error consiste meramente en disponer de un nombre equivocado, como cuando veo una flor

[26] Véase el ensayo 2, III, §17.

perfecta y claramente, y la tomo, por error, por una orquídea (cuando de hecho es una fritillaria) y no poseo un conocimiento mayor o una creencia de otro tipo. Supongamos, sin embargo, que sí poseemos conocimiento relevante de dos clases naturales y confundimos la clase natural a la que pertenece un ítem, sin que el error esté basado en una mala percepción. En tal caso, el ítem poseerá muchos aspectos a los que podamos responder estéticamente sin error, *como* aspectos de una cosa natural, aunque podamos estar equivocados acerca de qué clase de cosa es[27]. Pero si apreciamos estéticamente un objeto natural como instancia de una clase natural C y encontramos que no lo es, entonces nuestra apreciación estará, a ese respecto, mal fundada, y la conciencia de ese error minará *ese* aspecto de nuestra apreciación, puesto que no estará nunca más disponible para nosotros con respecto a ese objeto y deberemos rechazar como erróneo el disfrute y la excitación sentida, surgida de esa mala aprehensión. Además, nuestra identificación equivocada podría resultar, en cualquier caso, una apreciación estética depreciada, puesto que la identificación correcta del tipo de objeto natural que tenemos ante nosotros podría habilitar un elemento adicional de apreciación estética de la naturaleza como naturaleza: percibir la cosa bajo su clase verdadera permitiría no solo la apreciación de todo lo que permite la identificación equivocada que no estuviera mal fundada, sino algo además estéticamente valorable.

---

[27] Tal como Nöel Carroll (1993) ha enfatizado e ilustrado con alguien que toma a una ballena por un pez, en vez de por un mamífero.

2
La estética de la naturaleza de Kant

I. La belleza natural según Kant

I see the wild flowers, in their summer morn
Of beauty, feeding on joy's luscious hours;
The gay convolvulus, wrething round the thorn,
Agape for honey showers;
And slender kingcup, burnished with the dew
Of morning's early hours,
Like gold yminted new...[1]

John Clare, «Summer Images»

2.1. Introducción

Una teoría de la apreciación estética de la naturaleza estará bien fundada solo si está basada en una concepción de en qué consiste que una apreciación sea estética. Si entendemos que la apreciación consiste en, o al menos está informada por, valoraciones correctas o razonables, la apreciación estética es o está penetrada por valoraciones estéticas bien basadas, lo cual implica que la base de una teoría bien fundada de la apreciación estética de la naturaleza será una concepción de qué es para un juicio ser estético. La

---

[1] «Veo las flores salvajes, en el verano de su amanecer / de belleza, alimentándose en la alegría de las deliciosas horas;/ las gayas campanillas, anilladas sobre la espina, / abiertas a la lluvia de miel;/ y la esbelta centella, bruñida con el rocío/ de las tempranas horas de la mañana, / como oro recién acuñado.»

teoría de Kant es la realización más perfecta de este ideal: su concepción del juicio estético es el fundamento de la teoría; y la clasificación ofrecida por la teoría de los diferentes tipos de juicio estético acerca de los ítems naturales está extraída de esta concepción a través de la reflexión acerca del carácter de la naturaleza. Esta clasificación, aunque de alguna forma viciada por la aceptación de una taxonomía filosóficamente convencional y, en concordancia, incompleta, creo que no ha sido superada en la seguridad con la que se dibujan sus distinciones básicas y se indican las varias similitudes y diferencias entre las clases de juicio estético. Más aún, la teoría de Kant se distingue por su preocupación en identificar la naturaleza de los placeres subyacentes o asociados a los juicios estéticos de la naturaleza –de qué son placeres exactamente y qué mecanismos o procesos psicológicos los hacen surgir–, por su articulación y por el intento reivindicativo que de estos placeres pudiera hacerse. Pero su análisis de los distintos tipos de juicio estético sobre ítems naturales y su identificación de los placeres en los que estos juicios se basan no son, creo, siempre correctos. Además, falla al establecer más de una de las afirmaciones que hace acerca de los tipos de placer implicados en la apreciación de la naturaleza. Sin embargo, un firme asidero de las virtudes de la teoría de Kant, mostradas en una adecuada presentación, con conciencia de sus defectos, y debidamente demostrada, proporciona la más profunda reflexión sobre la apreciación estética de la naturaleza que haya sido alcanzada por cualquier otra teoría.

2.2. La noción kantiana de juicio estético

Para Kant, un juicio estético es un juicio cuya «base determinante» no puede ser sino «subjetiva», lo cual significa que su fundamento no puede ser otro que el sentimiento de placer o displacer (*CJ*, §1)[2]. Lo que Kant tiene en mente por juicio estético es un

[2] Las referencia a Inmanuel Kant, *Critica del Juicio* (= *CJ*) están citadas por número de sección y/o paginación del volumen V de la edición estándar de la

juicio realizado acerca de algo sobre la base de la experiencia de ese algo. Su idea es que la naturaleza de nuestra experiencia de un objeto nos provee de una razón para hacer un juicio estético positivo o negativo sobre el objeto, solo si reaccionamos a la percepción del objeto con placer o displacer –nuestro juicio requiere de esto como base–. En otras palabras, nuestro juicio acerca de algo que estemos experimentando es estético solo si es un juicio de tal clase que deba ser determinado por la naturaleza placentera o displaciente de nuestra experiencia, de manera que careceríamos de razón para hacer tal juicio sobre la base de nuestra experiencia del ítem si no lo experimentásemos con placer o displacer. Esto implica que un juicio estético se ocupa de la capacidad o adecuación de un ítem para proveer placer o displacer a alguien que tenga experiencia de él, tanto para un sujeto aislado como para una clase más amplia –a todos los humanos adultos con capacidades perceptivas normales, a todos aquellos con una naturaleza humana no deformada, a todos aquellos que satisfagan ciertos requisitos de conocimiento, experiencia e imaginación, a aquellos con un sentimiento hacia la moralidad, o lo que sea–. Puesto que, si el contenido de un juicio estético no implicara una referencia al placer o al displacer, no sería necesario que su fundamento determinante fuera el placer o el displacer del sujeto al tener experiencia del objeto del juicio: es porque un juicio estético afirma la capacidad o la adecuación de un objeto para dar placer o displacer por lo que, puesto que debe estar basado en la naturaleza de la experiencia del objeto por parte del sujeto (independientemente de otra información), la experiencia de placer o displacer del sujeto que juzga debe desempeñar el rol crucial que la teoría de Kant le asigna.

Academia Prusiana de sus obras completas. He consultado las cuatro traducciones de la obra al inglés por J.H. Bernard, J.C. Meredith, Wener S. Pluhar y Paul Guyer y Eric Matthews, de las cuales las tres últimas incluyen la paginación de la edición de la Academia Prusiana. Las dos últimas contienen la *Primera Introducción a la Crítica del Juicio* (= *PI*). Las referencias a la *Crítica de la Razón Pura* de Kant (= *CRP*) están hechas, tal y como es estándar, por la paginación de la primera (A) y la segunda edición (B). [Para la presente edición en castellano, se ha utilizado la edición española de la *Crítica del Juicio* de editorial Austral, 2009.]

2.3. La clasificación de Kant de los juicios estéticos (no-compuestos)

De acuerdo con esta concepción del juicio estético, Kant distingue entre tres clases de juicio estético no compuesto, dos de los cuales son llamados juicios reflexionantes[3]. Al denominarlos no-compuestos quiero decir que los juicios de estas tres clases no consisten ni en una combinación de juicios estéticos, ni de un juicio estético combinado con un juicio no-estético. Cada juicio de este tipo *se ocupa meramente de la naturaleza material de un objeto o conjunto de objetos, tal y como aparecen en la percepción*, considerando esta naturaleza independientemente de la clase o clases de objetos que sean. Estos juicios no están basados en los conceptos de las clases de cosas juzgadas o evaluadas: tal juicio acerca de un objeto no tiene en cuenta de qué clase de objeto sea este una instancia. Ahora bien, un objeto material es materia con-formada: materia que tiene un límite o conjunto de límites, por indefinidos que sean. Kant identifica primero un juicio estético sobre la forma de un objeto –un juicio sobre lo placentero de sus límites o grupo de límites de sus partes–, un juicio de gusto puro, el juicio de belleza *«libre»*[4]. Kant concibe todo juicio de gusto puro como singular. Una generalización tal como la de que «las rosas, en general, son bellas» o un juicio universal como el de que «todos los tulipanes son bellos», mantiene, no es un juicio estético puro sino un juicio lógico basado en un juicio estético (*CJ*, §8, 141). Por supuesto, dado que algunos tulipanes están malformados o marchitos, o son atacados por plagas, el juicio universal de que todos los tulipanes son bellos necesita algún tipo de calificación para ser absolutamente plausible; y, como todos los tulipanes bien desarrollados y florecientes no tienen la misma forma, y las pequeñas diferencias en la forma afectan a la belleza de la forma, incluso una afirmación cualificada sería excepcionalmente arriesgada. En segundo lugar, identifica un juicio estético sobre la apariencia perceptiva de

---

[3] Para la idea de Kant de un juicio reflexionante, véase Budd (2001*b*).
[4] Un juicio de gusto impuro es un juicio que combina la belleza con lo agradable o con un concepto.

cualquier componente[5] de la *materia* de un objeto –un juicio sobre lo placentero de un color, gusto, olor o sonido– como el juicio de que es *agradable*. Finalmente, identifica un juicio estético que ni concierne al carácter de la *materia*, ni al de la forma de un objeto, sino que, en su lugar, trata acerca de lo *ilimitado*, lo ilimitado en extensión o fuerza, en, o al menos, ocasionado por la materia del objeto que un sujeto contempla –un juicio acerca de la adecuación del objeto para despertar el sentimiento de que el sujeto posee una cualidad superior a cualquiera de las de la mera sensibilidad, por ilimitado que sea, y en particular a la inmensidad a la que se enfrenta en ese momento– como otro juicio estético puro, el juicio de lo *sublime* (en la naturaleza).

Kant mantiene que, mientras que no esté construido sobre un juicio de lo agradable que reclame ser universalmente válido para todo hombre –y la defensa de tal exigencia no estaría garantizada–, la exigencia de validez universal es intrínseca a ambos juicios de lo bello y lo sublime; y, por esta razón, a diferencia de lo bello y lo sublime, Kant no asigna valor sustancial a lo agradable y no tiene verdadero interés en ello. Pero, aunque los juicios de lo bello y lo sublime son semejantes ya que ambos reclaman validez universal, mientras que un juicio de lo bello permanece necesitado de una «deducción» en el establecimiento de sus credenciales como un juicio «bona fide», con un valor de verdad no relativo, o derecho a un consenso universal, deducción que intenta proveer, Kant reclama que la «exposición» de un juicio de lo sublime hace redundante cualquier deducción posterior de sus credenciales.

Cada uno de estos tipos de juicio estético puede tratar de, o estar inmediatamente ocasionado, tanto por un objeto natural (o conjunto de objetos naturales) como por un producto del artificio humano[6]. Pero si el juicio se dirige contra lo que de hecho es un ob-

---

[5] O, quizá –hay cierta incertidumbre en la posición de Kant–, un número de tales elementos, independientemente considerados de las relaciones de los unos con los otros. (La noción kantiana de forma, tal y como se define en la primera *Crítica*, es «lo que determina la diversidad de la apariencia que permite ser ordenada en ciertas relaciones» (*CPR*, A20/B34).)

[6] Aunque Kant insiste en que no resulta apropiado no juzgar una obra de arte bajo el concepto de obra de arte, esto es, como una obra de arte: una obra de arte

jeto natural, no es esencial al juicio, o al estado hedónico en el cual se funda, que el objeto sea natural, o experimentado como tal, o como si lo fuera, *a fortiori*, un objeto natural de cualquiera de las clases que sea o parezca: el juicio de un color natural, o el del color de un objeto natural, o de un sonido producido naturalmente, o el gusto u olor de una sustancia natural experimentada como agradable, el juicio de la forma de un objeto natural experimentada como bella, el juicio de un fenómeno o conjunto de fenómenos naturales como sublimes –ninguno de estos es un juicio de su objeto por ser natural–. Un juicio de gusto puro, un juicio de belleza libre, será un juicio acerca de algo que es de una cierta clase, C, pero no será un juicio de eso *como siendo* de esa clase. Si observamos al objeto como siendo de la clase C, podríamos expresar nuestro juicio de gusto puro en la forma: «Este C es bello.» Pero esto, como expresión de un juicio de gusto puro, es en realidad una conjunción de juicios, a saber, «Esto es un C» y «Esto es bello», el segundo de los cuales es un juicio de belleza libre. De manera que el contenido de nuestro juicio de belleza libre es exactamente el mismo que el realizado por alguien que no tiene conciencia de que el objeto sea de esa clase y quien expresa su juicio de la forma: «Esto –lo que sea– es bello.» Un juicio de belleza libre sobre una flor, digamos, será un juicio de la flor que es bella, no un juicio de que esta es una bella flor, o una bella *campanilla* (si es que la reconocemos como tal): será un juicio acerca de lo que de hecho es una flor, pero no un juicio de su ser-una-flor, o de ser una flor de un cierto tipo. Asimismo, un juicio de lo sublime provocado por el cielo nocturno plagado de estrellas visibles ahora en lo alto será un juicio *de* ello, pero no por ser el fenómeno natural que es o que percibimos que es. En concordancia, aunque un juicio estético de cualquiera de estas clases acerca de la naturaleza es una forma de apreciación estética de la naturaleza –de algo que de hecho es natural– ello no constituye apreciación estética de la naturaleza como naturaleza[7].

<hr>

debe ser reconocida como arte, no como naturaleza (*CJ*, §45, 248); y un juicio acerca de la belleza artística es una evaluación de una obra como obra de arte (*CJ*, §48, 255).

[7] Al menos, no constituye apreciación estética de la naturaleza como naturaleza en el sentido positivo de esa idea. Véase el ensayo I, §4.

2.4. El placer distintivo de lo bello

Cuando Kant afirma que un juicio de gusto puro no está basado en un [determinado][8] concepto, quiere decir que el placer distintivo de lo bello, el placer de un objeto que es la base o es constitutivo del objeto al ser experimentado como bello, el placer en él como siendo bello, no se debe en absoluto a que experimentemos el objeto bajo un concepto, al objeto experimentado como instancia o ejemplo de una clase empírica. El hecho de que en un juicio de gusto puro el placer de un objeto natural bello no esté basado en un concepto de la clase natural de la cual el objeto es instancia no requiere –lo que algunos interpretan ser la visión de Kant– que el objeto deba ser experimentado, pero sin experimentar que cae bajo un concepto (de esa clase natural): todo lo que se requiere es que el sujeto que juzga haga abstracción (se abstraiga) de cualquier concepto empírico bajo el cual perciba al objeto. Aunque Kant a menudo escribe como si su concepción del juicio de gusto puro requiriese que el sujeto experimentase un objeto sin conceptualizarlo como instancia de alguna clase –requerimiento que haría que su concepción resultara fútil– es consciente de que «no lo es»: «un juicio de gusto, en lo que se refiere a un objeto de fin interno determinado, sería puro solo en cuanto el que juzga no tuviera concepto alguno de ese fin o hiciera en su juicio abstracción de él» (*CJ*, §16, 160). Puesto que el juicio se ocupa solamente de la «forma» del objeto, y Kant concibe que la forma perceptiva de un objeto cubre solamente las relaciones espacio-temporales entre los elementos o partes del objeto (*CJ*, §14, 153)[9], el placer (en la apa-

[8] Un concepto determinado (determinable) es un concepto que es (puede ser) ejemplificado en la experiencia. En su resolución de la antinomia de gusto Kant mantiene que un juicio de gusto puro está basado en un concepto, pero en uno que es indeterminable (*CJ*, §57).

[9] La concepción kantiana de la forma, la cual excluye la «variedad y contraste» de colores, por ejemplo, es innecesariamente restrictiva. Es restrictiva porque si la forma perceptiva de un objeto es la estructura de sus elementos perceptibles, entonces las relaciones entre los colores son parte de la forma perceptiva de un objeto como lo son su forma exterior y contorno interior. Es innecesariamente así porque no es necesario excluir relaciones entre colores de cara a efectuar una deducción de juicios de gusto puros en la línea de Kant.

riencia permanente de un objeto espacial) surge solo de la estructura espacial percibida de la materia del objeto, de las relaciones espaciales que percibimos entre sus elementos, de la forma en la que su materia está distribuida en el segmento espacial que ocupa, de la forma que la apariencia sensorial del objeto considerado en abstracción de cualquier concepto bajo el cual caiga.

La identificación del placer distintivo de lo bello invoca la distinción entre sensibilidad (pasiva) y entendimiento (activo), entendiendo lo sensual como opuesto a lo intelectual, lo dado en la percepción opuesto a lo que es «pensado», y constituyendo lo primero una relación «inmediata» con el objeto en su singularidad, lo segundo, referido al objeto «mediatamente» a través de una característica universal, una que un número de objetos podrían tener en común. En lo que sigue, no cuestiono la distinción. De hecho, alguna forma de la distinción es, creo, esencial, como la diferencia que sugiere entre percepción y mero pensamiento, puesto que la percepción presenta su contenido básico de manera diferente al pensamiento: el modo de presentación –la manera en la cual lo que es representado *está* representado– en el [mero] pensamiento es diferente del de la percepción, que presenta su contenido sensualmente (a través de la sensibilidad, como diría Kant). Tanto si Kant contempló o no la posibilidad de que un objeto fuera dado a la percepción sin ser en modo alguno «pensado» por el sujeto[10], tal y como parece hacer[11], está claro que para Kant el contenido conceptual de una percepción es solo parte de su contenido representacional. Consideremos el ejemplo provisto por la *Jäsche Logic (Lógica)* (Kant 1992: 544-5): un «salvaje» que ve una casa lejana, cuyo uso desconoce, y otra persona que ve la casa y sabe que es un edificio en el cual viven humanos, difieren, de acuerdo con Kant, en que mientras que la cognición de la primera es mera intuición, la de la segunda es a la vez intuición y concepto. Si esta es la versión correcta de la dife-

---

[10] Me inclino a creer que Kant concibió los estados perceptivos de los animales no-humanos de este modo: ellos perciben el mundo, capacitándolos así a reaccionar diferencialmente a los objetos de su entorno, pero sin que sus percepciones constituyan juicios. Un pasaje en *CRP*, A546-7/B574-5, parece implicar que los animales no-humanos, aunque posean sensibilidad, carecen de entendimiento.

[11] Por ejemplo, en *CRP*, A89-91/B122-3.

rencia entre las dos percepciones, si el contenido representacional de una experiencia perceptiva puede ser parcial o completamente no-conceptual, y si la representación perceptual es completamente conceptual, o está fundada sobre una representación no conceptual, o posee una dimensión[12] no-conceptual, son cuestiones que pueden ser dejadas de lado. Pues está claro que hay un sentido en el cual el contenido representacional de las dos percepciones debería ser semejante en todos sus aspectos, excepto en que una tiene un contenido adicional determinado por un concepto presente en ella, pero ausente en la otra; que esa diferencia en los contenidos consiste en el concepto de vivienda, bajo el cual una persona ve la casa, pero no la otra; y que el contenido de cada percepción está, parcial o completamente, determinado por un componente definido por elementos análogos, tales como color, forma, talla, dirección y distancia, componente que la percepción adquiere en virtud de un aspecto de la experiencia de diferente clase de la que implica un concepto tal como el de vivienda, incluso si este componente no es pensado propiamente como siendo no-conceptual. La idea kantiana de que el contenido representacional completo de una percepción se acumula en ella en virtud de distintos tipos de aspectos es exacta, aunque ciertamente haya dificultades para formar una concepción adecuada y precisa de la contribución hecha por la sensibilidad[13].

Ahora bien, la identificación que Kant hace del placer distintivo de lo bello depende de una concepción algo turbia de los mecanismos mentales empleados en la percepción del mundo. Dado que Kant identifica el placer distintivo de lo bello como el producto de dos potencias cognitivas: la imaginación, cuya función en la percepción debe conectar y ordenar los datos provistos por los sentidos para formar una imagen o representación perceptiva apropiada del objeto, *como una pieza de una materia informada* tal y como el objeto aparece desde el punto de vista del sujeto, y el entendimiento, cuya función específica en la percepción es introducir unidad a la

---

[12] Sobre la naturaleza conceptual o no conceptual de la percepción y la cuestión de si la experiencia perceptiva posee contenido no conceptual, véase Evans (1982), Crane (1992), Peacocke (1993) y McDowell (1994).

[13] Véase, por ejemplo, el ensayo 2, III, §18.

síntesis de la diversidad sensorial, al subsumir al objeto bajo un concepto de la clase de cosa que es, de manera que el objeto no sea percibido como algo coloreado y formado de cierta manera, sino como una flor, una concha de mar o cualquier otra cosa[14]. Defiende que el placer de experimentar algo como bello es el sentimiento engendrado por la imaginación y el entendimiento al operar conjuntamente de una manera particular, el sentimiento de esta interacción, al que a menudo caracteriza de forma abreviada como libre juego armónico de esas facultades. De forma más precisa (en términos de la psicología de las facultades de Kant): la imaginación juega libremente bajo la sola restricción de que lo que ella produzca debe estar en armonía con la función del entendimiento, la cognición conceptualizante del producto de la imaginación. Pero incluso esta formulación es una representación inadecuada de la visión real de Kant, dado que, en la percepción de un objeto bello, la imaginación no es realmente libre, puesto que debe producir una representación adecuada de la forma del objeto sobre la base de lo que está dado en la intuición: la imagen debe ser una representación de la forma en que el objeto realmente es, y, en concordancia, la imaginación no es libre de producir cualquier forma que le plazca, sino que está atada a la producción de una forma determinada. Pero Kant concibe una forma bella como siendo, justamente, la clase de imagen que la imaginación produciría si estuviera en juego, bajo la única limitación de conformarse a la naturaleza legítima de la facultad del entendimiento, esto es, bajo la sola restricción de que su producto sea conceptualizable (*CJ*, 171)[15]. Tan bellas formas son justamente aquellas que, bajo esta restricción, la imaginación se deleitaría en producir, si no tuviera otro ánimo que satisfacerse. Por tanto, cuando se requiere que la imaginación produzca cierta forma, por medio de un objeto dado que confronta el sujeto perceptor, lo hace libremente, en el sentido de que hace exactamente la clase de cosa que estaría

---

[14] La explicación de Kant del placer que fundamenta un juicio de gusto puro es notablemente difícil de entender, y él mismo era consciente de su oscuridad (*CJ*,170). Su visión de la naturaleza del placer obtenido en lo bello es explorada en Budd (2001*b*).

[15] De cara a efectuar su deducción de juicios de belleza libre resulta claro que Kant requiere que la imaginación de cada persona favorezca la producción y contemplación precisamente de las mismas formas perceptuales.

dispuesta a hacer si realmente fuera libre. Por esta razón no es sorprendente que el sujeto se deleite en el ejercicio de la imaginación al ser reclamada por un objeto con una bella forma, y debido a que las demandas del entendimiento son excepcionalmente leves, siendo requerido a ejercer solo una función monitora, está relativamente relajado en la percepción de un objeto como siendo bello. Reuniendo estos dos factores, alcanzamos la concepción de Kant de la experiencia de lo bello como la del juego facilitado por la imaginación y el entendimiento, mutuamente acelerado (y así hecho placentero) por su armonía recíproca.

Esto está conectado con la caracterización de Kant de la belleza como «la forma de la finalidad de un objeto (*CJ*, §17, 166) en cuanto es percibida en el objeto sin la representación de un fin». Puesto que la forma de un objeto bello es una tal que la imaginación se deleitaría en producir si estuviera en juego libre, un objeto con una forma bella es justamente como sería si esta hubiera sido diseñada con el propósito expreso de comprometer a las capacidades cognitivas en un juego libremente armonioso en la contemplación de ese objeto y, en este sentido, es como si el objeto hubiera sido diseñado con el propósito expreso de facilitar el ejercicio de nuestras facultades sobre él. Pero un juicio de gusto puro no está basado en el concepto de un objeto en particular, en un concepto de la finalidad del objeto (o función natural). Por tanto, experimentamos un objeto natural bello como si su forma tuviera una finalidad para nuestra facultad cognitiva, pero sin considerar en realidad que sea el caso (puesto que, entonces, estaríamos experimentándolo como arte, no como naturaleza).

La dificultad fundamental de la identificación del placer distintivo de lo bello de Kant es que parece no ser más que una exposición de lo que es indudablemente verdadero de la experiencia de encontrar algo libremente bello, en términos de una supuesta manera específica de operar de los mecanismos mentales postulados en la teoría de Kant del conocimiento perceptivo –una exposición que falla en iluminar la experiencia–. Es característico de la experiencia de encontrar bella la forma de algo que nuestra atención sea capturada por ello, de forma que uno continúa mirando al objeto, deleitándose en su apariencia por ella misma –una apariencia en la que cada parte parece responder perfectamente a otra parte, de manera que la variedad en la apariencia está perfectamente unificada, los elementos manifiestamente concordantes unos con los otros o formando una unidad–. Esta contemplación de la forma del objeto requiere de la representación continuada de la forma, diferentes facetas salientes o focalizadas, momento a momento, mientras que nuestro ojo se mueve adelante y atrás en los contornos del objeto según nuestra voluntad. El hecho de que la forma deleitable del objeto continúe siendo representada por el sujeto mientras sus ojos se mueven sobre él se corresponde con un rasgo de la visión de Kant: la imaginación, en su libre juego, hace posible la construcción de esta forma frente a formas no bellas, y el hecho de que el sujeto que tiene esta experiencia no esté preocupado en identificar qué clase de cosa es el objeto, dado que posee una forma tan gratificante, o esté despreocupado acerca de la clase de cosa que reconoce que es, sin que el objeto en ningún caso exhiba un conjunto de elementos maravillosamente unificados, una perfecta combinación de unidad y heterogeneidad, es interpretado por Kant como la carencia del entendimiento en su habitual tarea de imponer unidad al conceptualizar el producto de la imaginación. Y Kant solo añade a esto la idea de que puesto que la actividad de cada facultad cognitiva (tal como está descrita) requiere tan poco de, o impone tan poca limitación en, la actividad de la otra, el resultado de la manera en la que ellas operan conjuntamente es percibido como inusualmente placentero[16]. En la medida en que la especificación de Kant del placer que define la experiencia de encontrar algo bello es solamente una redescripción pintoresca de la experiencia, no es iluminadora; en la medida en que es asunto de especulación *a priori* sobre procesos psicológicos que ocurren en la percepción, necesita ser reemplazada por una versión empíricamente bien fundada[17].

[16] La idea de que el entendimiento es acelerado en el sentido de que es estimulado a manejar una variedad de posibilidades conceptuales (sugerido, por ejemplo, por Allison (2001: 171)) dejaría como incierta la versión de Kant para con la fenomenología de la experiencia de lo bello. En la experiencia de lo bello de la forma de un objeto, más que manejar varios conceptos bajo los que el objeto pueda ser subsumido, uno queda despreocupado por completo de cómo el objeto pueda ser conceptualizado.
[17] La efectividad de la deducción de los juicios de gusto puros de Kant depende de su identificación del placer distintivo de lo bello, siendo una explicación

2.5. El juicio de perfección cualitativa

Otra clase de juicio –un cierto tipo de juicio no-estético– desempeña un papel significativo en el pensamiento de Kant acerca de la belleza. Se trata de un juicio acerca de un objeto *como instancia de una clase C* –un juicio que, cuando asume cierta forma, puede ser identificado erróneamente como un juicio de gusto puro–, el juicio de que el objeto y sus partes están en armonía con, o es apropiado o adecuado para desarrollar, las funciones o finalidades de las cosas, o de sus partes[18], de esa clase: el juicio de *perfección cualitativa*. La perfección cualitativa de una cosa como un C es la adecuación de su materia informada a la finalidad o función de algo de la clase C y a las finalidades o funciones de sus partes: para ser cualitativamente perfecto como un C un objeto debe estar formado de tal manera que desempeñe satisfactoriamente cualquier finalidad que sea esencial a la naturaleza de una C (*CJ*, §§15, 16, 48). (En la medida en que la variedad no esté bien adecuada a la finalidad del objeto o presente facetas antagónicas u opuestas, o pobremente adecuadas a él, carece de perfección cualitativa o se la resta de aquella que el objeto posea.) «Perfecto» no significa «mejor imposible». Implica solamente que el objeto no está deformado o no es defectuoso en algún sentido que impida a una parte desarrollar su finalidad o su función natural satisfactoriamente.

La identificación errónea que Kant quiere oponer es la de un juicio de gusto puro con un juicio de perfección cualitativa, cuando

bona fide, lo que depende por otra parte de la aceptabilidad de la teoría del conocimiento perceptivo de Kant y de los mecanismos mentales que se postulan, con objetos de percepción construidos fuera de los datos sensoriales en concordancia con las formas de espacio y tiempo y con conceptos *a priori*, operando la imaginación sobre lo que le es dado a la sensibilidad para producir, con la ayuda del entendimiento, experiencia de objetos. En concordancia, una afirmación de la deducción basada de forma segura requiere un profundo entendimiento de cómo el sistema perceptivo del hombre genera la experiencia de la percepción.

[18] Es algo claro que Kant desea que el concepto de perfección cualitativa sea aplicado al nivel de las partes de una cosa, como en el caso de una flor, la cual solamente es una parte de una planta. De hecho, Kant está de acuerdo con que un objeto natural es una finalidad natural solo si cada una de sus partes tiene una función natural (*CJ*, §65, 327-8).

este juicio es pensado de forma confusa. Un concepto figura en el juicio de una persona de manera confusa (indistinta) si la persona no es consciente y, por ese motivo, es incapaz de exponer las propiedades contenidas en el concepto[19]. Que un juicio de perfección cualitativa sea pensado confusamente es para el concepto de perfección cualitativa figurar en el juicio de forma confusa, más que distinta, al igual que aunque, así lo creyó Kant, el filósofo y el hombre de la calle basen sus juicios morales acerca de la maldad del engaño sobre los mismos principios racionales, los filósofos los distinguen y el hombre de la calle se confunde (*CJ*, §15, 157). Para Leibniz, Wolff y sus seguidores, la «representación sensorial» de una característica era el concepto confuso de aquella característica[20], de manera que, en concordancia, la perfección cualitativa de un ítem, tal y como era presentada en la percepción –el cumplimiento o desarrollo de las funciones esenciales a la clase que ejemplifica–, era un concepto confuso de ello. Pero un juicio de gusto puro no es un juicio cognitivo, ni siquiera uno confuso, mientras que el juicio de que un objeto posee perfección cualitativa es una clase particular de juicio cognitivo, a saber, un juicio teleológico; y un juicio de gusto puro sobre un objeto es un juicio estético, basado en el placer del sujeto al percibirlo, mientras que un juicio de perfección cualitativa no es un juicio estético. Ver un objeto como un espécimen cualitativamente perfecto de la clase C no implica encontrarlo bello[21], y verlo como bello no implica, para algún C, verlo como un objeto cualitativamente perfecto de la clase C. Por eso resulta fácil ver que no es lo mismo la perfección de un objeto

---

[19] Véase, por ejemplo, Kant (1992: 545).

[20] Para la crítica de Kant a la visión de Leibniz y Wolff en la que la distinción entre lo sensible y lo inteligible es meramente un asunto de confusión frente a claridad en la representación de las cosas, véase *CRP*, A43-4/B60-2.

[21] Esto resulta fácil de observar del hecho de que es posible que nada de la clase C sea, o sea experimentado por un sujeto juzgante como, bello –como suceda, quizá, con las arañas o los pulpos–. (Nótese que para juzgar que algo es bello *para un C*, o *hasta donde se trate de Cs*, no es lo mismo que juzgar que ese es un bello C, esto es, bello *como un C*.) Hegel (1975: i. 130-1) situó la distinción entre tipos de animal bello y feo (no con todo rigor) en su forma de desarrollar actividad y en la rapidez de movimientos, «la más alta idea de vida», más que la «actividad somnolienta», o en el ser de una especie no mezclada, más que en ser híbrido.

bello que la representación sensorial o «intuición sensual» de la perfección cualitativa del objeto[22].

2.6. El juicio de belleza dependiente (adherente)

Añadido a los tipos previamente mencionados de juicio estético no compuesto, Kant admite la combinación de un juicio de gusto puro acerca de algo con un juicio de perfección cualitativa acerca de esa cosa, este último (como fuera indicado) concerniente al concepto de la clase de la cual el objeto es instancia –la clase de cosa que es o pretende ser–. Esta combinación de juicios constituye otro juicio estético –el juicio de que algo es una cosa bella de la clase C–, un juicio impuro de gusto, el juicio de belleza «dependiente» o «adherente»[23]. Kant no interpreta «belleza» como un adjetivo predicativo en el juicio de que O es un bello C, en el sentido de que no analiza este juicio –el juicio de que O es bello dependientemente (como un C)– como la combinación del juicio de «O es un C» y el juicio de «O es bello». Más bien, lo analiza como la combinación del juicio de que O es un buen espécimen de la clase C y el juicio de que la variedad sensorial de O tiene una forma bella[24]. En otras palabras, «O es un bello C» (donde esto expresa un juicio de belleza dependiente) significa «O es un C cualitativamente perfecto y O es [libremente] bello», donde el primer conjunto (al igual que el segundo) es afirmado sobre la base del aspecto de O, de manera que es aparente o se manifiesta en la apariencia de O que es un C cua-

---

[22] Véase la justificación del rechazo de estas ideas en Kant, por ejemplo, en *FI*, §8, «nota», y *CJ*, §15.

[23] De hecho, no queda completamente claro que Kant entienda que un juicio de belleza dependiente sea una combinación de estos dos juicios. Es posible que exija además placer en que el objeto juzgado sea cualitativamente perfecto (o incluso placer en su perfección cualitativa).

[24] Para Kant, la belleza siempre se predica de la mera forma de un objeto, tanto en juicios de belleza libre como dependiente. La crítica de que el reconocimiento de Kant de los juicios de belleza dependiente además de los de belleza libre (juicios puros de gusto) introduce una contradicción en su versión de belleza, puede verse fácilmente como fuera de lugar. Incluso en un juicio de belleza dependiente, el placer que funda el juicio estético que contiene no está basado en un concepto.

litativamente perfecto. Por ello, un juicio de belleza dependiente requiere que se tome en cuenta no solo la forma del objeto, sino también qué clase de objeto es y si es un buen espécimen de esa clase: una condición esencial para que algo sea dependientemente bello es que, en su apariencia, ejemplifique bien la finalidad de la clase de objeto de la cual es un bello espécimen. A menos que una cosa de la clase C sea una instancia buena o satisfactoria de esa clase, incluso si es una cosa bella, no es bella *como un C*, y las características de la apariencia de un objeto que no sean consonantes con la función de ese objeto restan belleza al objeto *como* objeto con esa función, incluso si estas realzaran la belleza del objeto si no fuera considerado como objeto en posesión de tal función.

Nótese que, incluso, aunque Kant reconoce juicios estéticos impuros acerca de objetos naturales en los que los objetos son juzgados bajo un concepto, esto es, juicios de belleza dependiente, esto no es equivalente a aceptar la apreciación estética de la naturaleza como naturaleza (en el sentido positivo que he distinguido)[25]. Un juicio de belleza dependiente realizado sobre un ítem de la clase natural C, como instancia o ejemplo de esa clase, se queda corto al constituir una forma de apreciación estética de la naturaleza como naturaleza: incluso si la clase es reconocida como clase natural, el hecho de que la clase sea natural no resulta esencial al placer que fundamenta el juicio, puesto que solamente uno de los (dos) componentes de un juicio de belleza dependiente es él mismo un juicio estético, y ese componente es justamente un juicio de belleza libre. En concordancia, el elemento estético de un juicio de belleza dependiente no es un juicio del objeto como natural. Además, hacer un juicio de belleza dependiente acerca de un ítem natural implica, para Kant, concebirlo como finalidad natural y, por tanto, como arte (sobrehumano). Pero apreciar la naturaleza como si fuera arte es no apreciarla como naturaleza.

La noción de perfección cualitativa, tal y como figura en un juicio de belleza dependiente, adolece de cierta oscuridad. La atribución de perfección cualitativa en un juicio de belleza dependiente estará basada en la apariencia perceptiva de perfección cualitativa. Pero esto es susceptible de dos interpretaciones, una más débil y

---

[25] Véase ensayo I, §4.

otra más fuerte, una negativa y una positiva. La más débil solamente requiere que la apariencia no sea tal que indique una imperfección al funcionamiento apropiado de las partes. Dicho de otro modo, que no parezca que alguna parte del objeto no está bien adecuada en el desarrollo su función natural. La más fuerte exige más: el objeto debe mostrar signos de que sus partes visibles están bien adecuadas para cumplir con sus funciones naturales. Pero, por ejemplo, consideremos ahora el cuerpo de un animal. ¿Qué partes con funciones naturales pueden desarrollar visiblemente (o aparentar que desarrollan) bien sus funciones? ¿La piel, la nariz, las orejas, los ojos, los labios, los brazos? Resulta fácil observar que una parte corporal está deformada o se carece de ella, pero la carencia de tales defectos no constituye perfección cualitativa. ¿Son el brillo del pelo de una persona joven o su complexión, ambos indicadores de salud, señal de que el pelo y la piel están desarrollando bien sus propias funciones naturales específicas? Por otro lado, la función natural de una parte corporal, el brazo, por ejemplo, puede ser diversa, y la parte puede estar bien adecuada a desarrollar algunas, pero no todas, sus funciones. Además, la apariencia estática o momentánea del cuerpo de un animal no es, en general, buena guía de si ciertas partes visibles están en buenas condiciones –de si los ojos pueden ver o las manos pueden agarrar, quedando esto de manifiesto solamente en movimiento–. En lo que sigue, ignoraré tales dificultades (excepto la última).

Nótese que la combinación de juicios que constituye un juicio de belleza dependiente no implica, como tal, placer doble. Puesto que la percepción de un objeto como siendo cualitativamente perfecto no necesita de placer ocasional. Un espécimen cualitativamente perfecto de la clase natural C es uno en el cual cada parte desarrolla satisfactoria o excepcionalmente bien su función natural o su «finalidad». Ver un objeto natural como espécimen cualitativamente bueno o perfecto en su clase es ver las distintas partes manifiestas del objeto como adecuadas para desarrollar sus funciones naturales. Pero ver un ítem natural como instancia cualitativamente perfecta de su clase implica cualquiera de las dos formas de deleite que pueda ser ocasionado por su perfección cualitativa: placer en que el ítem sea un espécimen cualitativamente perfecto de la clase C o placer en la perfección cualitativa del ítem como un C. Tener placer en su perfección cualitativa como un C, en que sea un buen espécimen de su clase, es tener placer en la percepción de sus distintas partes como adecuadas al desarrollo de sus funciones naturales, deleitarse en su variedad como siendo bueno para ser un C (*CJ*, §16, 159), y tal placer no es consecuencia inevitable de la percepción de su perfección cualitativa. Y la percepción de que algo es una cosa cualitativamente perfecta en su clase no necesita ocasionar un placer de que sea tal espécimen. Sin embargo, aunque la combinación de juicios que forman un juicio de belleza dependiente no implica, como tal, un placer doble, sí permite tal posibilidad. La posibilidad que Kant reconoce (*CJ*, §16) es que el deleite en la belleza de un objeto pueda ser disfrutado en conjunción con el deleite de que el objeto sea un C cualitativamente perfecto[26]. Pero, para Kant, el placer en que algo sea cualitativamente perfecto es intelectual, más que estético: un placer es estético solo en virtud de ser el fundamento determinante de un juicio, y placer de que un objeto sea cualitativamente perfecto en su clase no es fundamento determinante del juicio de que tal espécimen sea cualitativamente perfecto. En concordancia, este doble placer es una combinación de placeres de distinto tipo, ninguno de los cuales, sostiene Kant, resulta mejorado por estar en combinación con el otro, aunque la unión de ambos placeres constituya una elevación del estado experiencial total del sujeto (*CJ*, §16).

2.7. *Juicios estéticos no reconocidos sobre cosas naturales*

A pesar de que Kant contempla a todo ser viviente, a la vez organizado y auto-organizado, como un fin natural, en el que cada parte de la cosa es un fin, no mantiene que sea obligatorio que los juicios acerca de su belleza deban estar constreñidos por su

---

[26] Nótese que, para Kant, el placer de que algo sea un C cualitativamente perfecto no puede ser nunca universalmente válido, dado que a menudo subraya que no existe conexión necesaria entre la aplicabilidad de un concepto y el sentimiento de placer –no se da una exigencia correcta de que cada uno deba experimentar placer– excepto en el caso del bien moral, y caracteriza el placer en que un objeto sea cualitativamente perfecto como un placer basado en un concepto. Esto se aplicaría también al placer en la perfección cualitativa de un objeto.

«finalidad intrínseca», de manera que todos deban ser juicios de belleza dependiente. Por el contrario, se permite ignorar sus finalidades naturales y considerar solo sus formas. De hecho, Kant defiende que los juicios estéticos acerca de la belleza de objetos naturales son, típicamente, juicios de gusto puros (juicios de belleza libre)[27]. Por consiguiente, insiste (correctamente) en que los juicios acerca de la belleza de las flores no envuelven de manera característica un juicio sobre la adecuabilidad de la flor al cumplimiento de su función natural (como el órgano reproductor de la planta), función que la gran mayoría que experimente la flor como bella bien podría ignorar y a la que un botánico no presta atención alguna cuando juzga la belleza de las flores (*CJ*, §16) (aunque es posible deleitarse en la adecuación para el desarrollo de la función sexual de una flor bella, como cuando su estructura está maravillosamente bien adecuada a la distribución de sus células reproductivas por un insecto en concreto). Kant reconoce, sin embargo, que nuestros juicios estéticos acerca de la belleza de objetos naturales no siempre son juicios de gusto puros: reconoce que nuestros juicios estéticos acerca de la belleza de una cierta clase de objetos naturales, sobre todas las cosas sentientes (caballos o seres humanos, por ejemplo), habitualmente son juicios de belleza dependiente o adherente (*CJ*, §§16, 48). Pero en los casos donde un juicio estético acerca de la belleza de un ítem natural no es un juicio de belleza libre, la visión de Kant no parece ser, de hecho, un análisis correcto del contenido del juicio, dado que no es constituyente del juicio que que alguien sea un hombre bello o una

---

[27] Se ha discutido a menudo sobre si Kant está equivocado acerca de esto. Pero de hecho no es importante si Kant está en lo cierto acerca de la normal aplicación del concepto de belleza a los ítems naturales. La cuestión crucial no es si nuestros juicios estéticos normales, por ejemplo, acerca de las flores son conformes a la visión de Kant, o, incluso, de si juzgamos siempre a las flores como bellezas libres. Puesto que aunque raramente o nunca juzgásemos objetos naturales u objetos naturales de una cierta clase como bellezas libres, ello solo mostraría que Kant estaba equivocado acerca de la frecuencia (en la que hacemos) de los juicios de gusto puros acerca de objetos naturales. Lo que importa no es si nuestros juicios estéticos sobre objetos naturales son típicamente juicios de gusto puros, sino si la clasificación de Kant de los juicios estéticos acerca de los objetos naturales identifica apropiadamente todas las formas significativas de apreciación estética de la naturaleza. En lo que sigue, indico mi escepticismo.

mujer bella, que su forma sea –independientemente considerada de su ser la forma de un hombre o de una mujer– bella[28]. Este defecto es producto de la concepción de Kant de un juicio de belleza dependiente como conjunción de dos juicios, uno estético –un juicio puro de gusto– y otro no estético. El problema surge de su idea principal de considerar la belleza como predicada propiamente solo de la forma de un objeto. Por eso, en un juicio de belleza dependiente acerca de un objeto natural de la clase C la belleza es referida a la clase natural solo externamente, no internamente: Kant no puede reconocer la idea de que un objeto sea bello *como* un C. Aunque sea consecuencia de la concepción de la belleza de Kant, predicada adecuadamente solo de la forma de un ítem, considerado en abstracción de la clase de cosa que sea, revela un hueco en la clasificación de los juicios estéticos de Kant, quizá un doble hueco, incluso si su doctrina acerca del sujeto apropiado de belleza es aceptada[29].

Lo que esta clasificación falla en reconocer es la posibilidad de una cierta clase, o más de una clase, de juicios estéticos no compuestos acerca de objetos naturales *como instancias de una clase C*[30]. En primer lugar, hay una clase de juicio estético acerca de un ser vivo como instancia de su clase natural, juicio que concierne a su perfección cualitativa. Ahora bien, para que haya un juicio dis-

[28] En un lugar (*CJ*, §48, 218) Kant defiende que el contenido de «esa es una mujer bella» es justamente «que la naturaleza representa bellamente en su figura los fines en el edificio femenino, pues, además de la mera forma, hay que mirar más allá a un concepto». Brevemente: juzgar a una mujer como una mujer bella es juzgar su figura como presentación bella de la finalidad inherente al cuerpo femenino. Y esto significa que su figura es tal que satisface las funciones naturales del cuerpo femenino y es bello. Nótese que aquí Kant omite cualquier referencia a la expresión de cualidades moralmente deseables como requisito de belleza femenina (véase §8).

[29] Está claro que la idea de un juicio de belleza dependiente necesita ser relativizado a momentos en el tiempo, siendo más obvio si el juicio es acerca de un ser viviente capaz de locomoción. Puesto que no existe algo que sea la forma de un ser viviente: su forma corporal y las relaciones entre sus partes corporales no cambian exclusivamente en virtud de su edad, sino por su movimiento. Y las diferentes formas que pueda asumir –como cuando un pájaro pliega o despliega sus alas– no será, en general, igualmente bello.

[30] Esta posibilidad es explorada en el ensayo I.

tintivo para el cual el placer del sujeto sea fundamento determinante –el juicio de que algo es gracioso, por ejemplo– el pensamiento-contenido del juicio debe ser resistente a una especificación independiente de la naturaleza de la reacción hedónica del sujeto. A diferencia del juicio de que algo es agradable, o del juicio de que algo es bello, el pensamiento-contenido del juicio de que algo es cualitativamente perfecto puede ser especificado independientemente de la naturaleza de la respuesta del sujeto al objeto y así de cualquier referencia al placer. Pero un juicio que afirme la capacidad o adecuabilidad de la perfección cualitativa de un ítem natural para dar placer conlleva el requerido pensamiento-contenido dependiente de respuesta. Un juicio de esta clase satisface el criterio de Kant para que un juicio sea estético, pero está ausente en la clasificación de Kant. Por supuesto, no todos los objetos cualitativamente perfectos son juzgados como adecuados para dar placer, en virtud de su perfección cualitativa, independientemente de la clase a la que pertenezcan. Más bien, un juicio de este tipo –uno que exprese placer en la perfección cualitativa de un objeto como un C– dependerá del carácter de las funciones naturales de cierta clase natural y de las maneras en las que se realicen según la apariencia de algo de esta clase. Además, si la función natural de una parte o las partes del cuerpo de un animal o insecto es la de facilitar el movimiento de la criatura en su entorno, como sucede con las alas de un pájaro o una mariposa, la adecuación de las partes para desarrollar su función natural será manifiesta solamente cuando la criatura esté en movimiento en el uso de aquellas partes. En tal caso, el deleite en la perfección cualitativa de una criatura con respecto a estas partes será tomado no tanto, o en absoluto, según la apariencia estática de la criatura (o su apariencia en movimiento a través del uso de otras partes de su cuerpo), sino en el despliegue de las partes adecuadas para cumplir su función natural, y el deleite dependerá de la forma de movimiento de la criatura, como sucede con la gracia del movimiento de los brincos de la gacela, o de la velocidad y el poder de un caballo al galope, o de la adecuabilidad manifiesta de las partes corporales con la habilidad de la criatura para desenvolverse en su entorno natural, como sucede con las alas de un águila o de un colibrí. En segundo lugar, no toda clase de cosa natural es, como tal, una cosa con funciones naturales: los ítems naturales se dividen en aquellos que poseen funciones naturales –cosas vivientes, cosas de una clase que ha evolucionado por selección natural– y aquellos que no las poseen. Nubes, montañas, arco-iris, volcanes, amaneceres, estalactitas y otros muchos ítems no tienen funciones naturales y no están compuestos de partes que desarrollen tales funciones. Y todavía el placer estético en ellos puede ser placer en ellos *como cosas de esa clase.* La teoría estética de Kant no acepta la posibilidad de que el placer estético pueda derivarse de la materia informada de un objeto, visto bajo un concepto sin finalidad, no funcional, de manera que su ser algo de esta clase sea esencial al placer[31]. Pero no existe nada en su concepción de juicio estético, como juicio cuyos fundamentos determinantes no pueden ser otros que el sentimiento de placer o displacer, que implique que un juicio estético deba estar basado en la consideración de un objeto con abstracción de la clase de cosa que es o de cualquier concepto bajo el que caiga[32].

2.8. Un ideal de belleza

Otro juicio de belleza que Kant identifica es el juicio de que un ítem de la clase C es un C *idealmente bello.* Puede pensarse que, puesto que el juicio de que O es bello dependientemente como un C incluye el juicio de que O es cualitativamente perfecto como un

---

[31] Por supuesto, Kant reconoció que hay objetos naturales que no poseen finalidad (en su forma) (véase, por ejemplo, *FI*, §6); pero no parece haber contemplado la posibilidad de que ninguno de tales objetos pueda ser estéticamente atractivo como instancia de su clase –que su atractivo estético pueda ser dependiente de que sean vistos como cierta clase de cosas.

[32] Paul Guyer (1996: 103) ha sugerido que se sigue de la definición de Kant de juicio estético como juicio cuyo fundamento determinante no puede ser más que subjetivo y, por tanto, no puede ser un concepto, que el fundamento determinante de un juicio estético debe ser el placer en la mera representación de un objeto. Pero el hecho de que un concepto no pueda ser el fundamento determinante de un juicio estético no implica que el fundamento determinante deba ser el placer en la mera representación de un objeto, puesto que el placer tomado de la representación de un objeto bajo un concepto es subjetivo, no objetivo, y el fundamento determinante de un juicio basado en tal placer sería el placer, no el concepto.

C, el juicio de que O es dependientemente bello como un C es el mismo que, o al menos implica, el juicio de que O es un C idealmente bello. Pero esto no es así: un objeto puede ser bello dependientemente, pero no ser un C idealmente bello. De hecho, incluso si hubiera innumerables Cs dependientemente bellos, ninguno de ellos podría ser un C idealmente bello, careciendo la idea de aplicación. Puesto que hay un ideal de belleza para las cosas de la clase C, si y solo si es posible para ellas ser una cosa máximamente bella en su clase, única, arquetipo ejemplar de belleza –algo que es tal que, a menos que una cosa de la clase C lo iguale en apariencia, esa cosa es menos (dependientemente) bella de la clase C–[33]. En otras palabras, debe haber una forma específica que algo de la clase C pueda poseer, que sea tal que cualquier cosa de la clase C que posea esa forma sea más bella que cualquier cosa de la clase C que no la posea. Eso requiere que las funciones naturales o finalidades de las cosas de esa clase deben ceñirse tanto a la apariencia de aquellas cosas cuyas partes desarrollan bien estas funciones como para determinar la forma particular que tal cosa debe asumir, si no se queda corta en la belleza atribuible a las cosas de esa clase[34].

[33] De hecho, Kant no especifica exactamente qué quiere decir por ideal de belleza para cosas de la clase C. Lo que él quiere decir con un C maximamente bello está indicado por su afirmación de que «el modelo más elevado, el prototipo de gusto», el ideal de la belleza, «descansa, de hecho, sobre la idea indeterminada de la razón de un maximum» (*CJ*, §17, 162). Desconozco la posibilidad de que la concepción de un ideal de belleza de Kant sea menos exigente, permitiendo que haya un ideal de belleza para cosas de la clase C si hay Cs máximamente bellos –cosas de la clase C de forma que no haya nada de la clase C que pueda ser un C más bello– de diferentes formas. Esto parece quedar descartado por varios detalles de los pensamientos de Kant acerca del ideal de belleza; y si esta fuera su concepción, estos pensamientos serían incluso menos convincentes de lo que, creo, son.

[34] Esta formulación es una presentación precisa del pensamiento de Kant solo si la noción de finalidad no se restringe a las funciones naturales de las partes corporales, sino que tiene el amplio alcance que le dio Kant, para quien incluye la idea de la vocación moral humana. De hecho, Kant considera que el ser humano es una excepción a la regla, que ninguna otra clase natural admite, de un ideal de belleza precisamente porque los seres humanos son personas, agentes morales: esta es su única característica distintiva relevante. Su introducción de la apariencia de la bondad moral en la figura humana ideal está motivada, por supuesto, por la exigencia de la perfección cualitativa, no por la belleza de la forma.

Kant rechaza que haya ninguna otra clase natural, además de la humana, sujeta a tal severa limitación, de manera que solamente existe una clase de cosas que admite un ideal de belleza, a saber: un ser humano. Claramente, como Kant afirma, no puede haber un árbol idealmente bello, un árbol con una forma más bella que la que ningún otro árbol pueda tener: el requerimiento de presentar la apariencia de satisfacer las funciones naturales de los elementos de un árbol permite demasiada laxitud en la forma de los árboles para admitir un ideal de belleza. Y lo mismo resulta verdadero para otras clases naturales que tienen muchas variedades diferentes. Pero cuanto más específicas son las especies, menos numerosas son las posibles variaciones de la forma entre instancias de especies igualmente bellas, y el concepto de una cosa idealmente bella de un cierto tipo parece no contener nada que pudiera eliminar en principio un ideal de belleza para un tipo de organismo altamente específico, cada parte del cual tiene una función natural.

Además, la afirmación de Kant de que existe un ideal de la belleza humana no es convincente en varios sentidos. Denota incertidumbre en su concepción de un ser humano idealmente bello, pero parece representar el ideal de belleza humana como producto de dos factores, «la idea normal estética» de la especie animal Homo Sapiens y la expresión visible en el cuerpo humano de las cualidades de una persona que posee un alma moralmente buena. La idea normal del cuerpo humano adulto[35], que un cuerpo humano no debe violar si ha de considerarse bello[36], es una clase de

[35] Kant omite la exigencia de que la idea normal del cuerpo humano, tal y como figura en el ideal de belleza humana, deba ser la idea normal de cuerpo humano cualitativamente perfecto. Pero a menos que esta condición sea impuesta, su idea de que la «conformidad» con la idea normal de cuerpo humano es una condición necesaria para la belleza humana no resulta convincente. Kant mantiene que ser un bello C es ser un C cualitativamente perfecto y tener una bella forma. Por tanto, la conformidad con la idea normal de un C es un condición necesaria de ser un bello C si y solo si cada C cualitativamente perfecto debe conformarse con la idea normal de un C. Pero esto no será así a menos que la idea normal de un C sea entendida como la idea normal de un C cualitativamente perfecto –e incluso así.

[36] La idea normal de un cuerpo humano no constituye el ideal completo de belleza humana, sino que «solo da la forma que constituye la condición indispensable de toda belleza». Además, sostiene Kant, la razón por la que nos place

estereotipo de la apariencia de un ser humano, formado en la imaginación, especula Kant, de manera similar a como es creada la imagen en un retrato compuesto de Galton. Pero él mismo reconoce que razas y culturas diferentes formarán ideas normales diferentes de las especies humanas adultas, un cuerpo particular se conformará a una idea violando otra, e ignora el hecho obvio de que la humanidad se compone tanto de hombres como de mujeres, cuyos cuerpos poseen partes con diferentes funciones naturales (aunque resulta claro que esto debería incluirse en la visión de Kant)[37]. E *incluso*, si solamente hubiera una única idea normal de la especie humana, esto no nos aseguraría la consecuencia deseada de que exista una forma máximamente bella del ser humano, *incluso* si dejamos a un lado la contribución de la moralidad, que Kant considera de suma importancia, al ideal de belleza del cuerpo humano. Debido a la inevitable indeterminación de la idea normal de una clase natural –un rasgo que la posición de Kant requiere– esta acomodará formas diferentes, pero igualmente bellas, de instancias de esa clase, violando de ese modo el requerimiento de singularidad de la forma para la belleza ideal. Además, hay muchos rasgos del cuerpo humano que el requerimiento de perfección cualitativa no determina: talla o forma de la cabeza, longitud del cuello, proporciones relativas de la parte inferior y superior de la pierna, del tronco a las piernas, etc. Por tanto, cuerpos humanos indefinidos, cualitativamente perfectos, divergirán de la forma dada por la idea normal, y Kant no establece que ninguno de ellos deba ser menos bello que un cuerpo humano de la forma realizada por la idea normal. Además, a no ser que solamente haya una única manera en la que las cualidades de un alma moralmente buena puedan manifestarse en cualquier forma (sobre todas, la del rostro humano) que sea consonante con la idea normal, la contribución

la idea normal es solo porque «no contradice ninguna de las condiciones bajo las cuales una cosa de esa especie pueda ser bella» (*CJ*, §17, 164-5), no porque sea bella en sí misma. En concordancia, Kant concibe la idea normal como una plantilla con la que el objeto debe encajar para ser una instancia bella de su clase.

[37] Ignoro el hecho de que la forma del cuerpo humano varíe al tener los miembros y otras partes movibles dispuestos de manera diferente; un rasgo importante para Kant dado el rol fundamental de la forma en su concepción de la belleza.

esencial de la moralidad al ideal de belleza humano debilitará la singularidad requerida del tipo de un ser humano idealmente bello.

2.9. Placeres interesado y desinteresado

Kant mantiene que el placer expresado en un juicio de gusto puro es desinteresado. Explica el interés en un objeto como placer en la [representación de la] existencia del objeto (*CJ*, §2, 128; §4, 132; §41, 237)[38]. Lo que quiere decir es que un placer interesado en un objeto es un placer en que tal y tal sea el caso con respecto a ese objeto: es placer en que el mundo sea de cierta manera, placer en que algo es verdad en este objeto particular, placer en un hecho (o aparente hecho) acerca del objeto; en particular, placer en que una cierta clase de cosa, que el objeto dado ejemplifica, exista. El placer en la existencia de O es placer en tal, y tal es (positivamente) el caso con respecto a O, el cual es placer en un hecho (o aparente hecho) acerca de O. Kant pasa libremente entre la concepción de un interés como placer proposicional y la concepción de un interés como deseo o la preocupación de que pueda ser el caso, un deseo determinado por un concepto (*CJ*, §4, 132; §10, 147). Este movimiento es fácil de entender, puesto que si nos deleitamos en que p, queremos que sea el caso que p, y si queremos que sea el caso que p, creemos que p y entonces nos deleitamos en que p. Su defensa acerca de un juicio de gusto puro, por tanto, es que el placer que expresa no sea placer en que exista el objeto representado o en que este sea de una cierta clase o posea ciertas propiedades, lo cual implica que el placer no sea la satisfacción de un deseo del sujeto. Dada la comprensión de Kant del juicio de gusto puro, como juicio acerca de la forma de un ítem basado en el placer experimentado en la contemplación de esa forma, esto es algo claramente correcto: placer *en* la percepción de la estructura de un objeto no es lo mismo que placer en *que* los elementos del objeto estén estructurados como lo están.

---

[38] De hecho, tal y como han señalado algunos comentadores, Kant explica la noción de interés de maneras diferentes y aparentemente no-equivalentes, o parece operar con más de un sentido de la noción; y para muchos su sentido no parece obvio.

No queda claro si Kant concibe el placer en la perfección cualitativa de un objeto como placer interesado[39]. Pero dado su concepto de interés, sería equivocado interpretar este placer como un interés: placer en la perfección cualitativa de O no es idéntico al placer en el hecho de que O sea cualitativamente perfecto (cuyo placer podría aflorar por múltiples razones), y no implica ni este ni ningún otro placer meramente proposicional. Sin embargo, resulta claro que Kant debe permitir la combinación de placer en lo bello y placer interesado –como hace cuando el deleite en la belleza de un objeto es compartido con el placer en que sea una cosa cualitativamente perfecta en su clase–. Consideremos otro caso: estamos deleitándonos en, o contemplamos por primera vez algo de cierta clase encontrándolo, igualmente, como algo bello de contemplar. Nuestro placer tiene una fuente doble y un doble objeto: deriva a la vez de nuestra conciencia del hecho de que por primera vez estamos viendo un objeto de la clase C y de la belleza inherente del espécimen que está ante nosotros, y somos deleitados a la vez por el hecho y por la belleza del ítem. De hecho, al dejar a un lado el placer en lo agradable y en lo moralmente bueno, Kant deberá permitir una triple combinación de placeres, siendo dos de ellos desinteresados y uno con interés: el placer en la perfección cualitativa de un objeto, placer en su belleza y placer en la existencia del objeto –como, por ejemplo, cuando somos deleitados por la adecuabilidad manifiesta de la formación de un ave en el desarrollo de las distintas funciones naturales de sus partes, por la belleza de sus formas, y por el hecho de que nuestro prolongado deseo de contemplar un ave de esa clase (un gavilán rastrero, por ejemplo) finalmente se ha cumplido. Son posibles placeres adicionales, por ejemplo, de más alto orden (placer en la comunicabilidad de nuestros placer, por ejemplo). Pero no es necesario discutir que Kant debe permitir la combinación de un placer interesado y el placer en lo bello, puesto que Kant interpreta al amante de la belleza natural –alguien que tiene un interés inmediato en la belleza natural–

[39] Kant afirma ciertamente que el placer basado en el concepto de una finalidad es interesado: «Todo fin, cuando se lo considera como base de la satisfacción, lleva consigo siempre un interés, como motivo de determinación del juicio sobre el objeto del placer» (*CJ*, §11, 120).

como obteniendo placer, no solo de la belleza del objeto natural, sino de la existencia del objeto. Y el pensamiento de Kant acerca de las condiciones de un interés inmediato en la belleza natural y su importancia en la vida humana conforma la parte final de su visión de la apreciación estética de la naturaleza, en lo relativo a la belleza.

II. Sobre la belleza natural y la moralidad en Kant

her supple Brest thrills out
Sharpe Aires, and staggers in a warbling doubt
Of dallying sweetnesse, hovers o'er her skill,
And folds in wav'd notes with a trembling bill,
The plyant Series of her slippery song,
Then starts shee suddenly into a Throng
Of short ticke sobs, whose thundring volles float,
And roll themselves over her lubricke throat
In panting murmurs, still'd out of her Breast
That ever-bubbling spring...[40]

Richard Crashaw, «Musicks Duell»

2.10. Un juicio puro de gusto, por sí mismo, no genera interés

Kant mantiene no solo que el placer expresado en un juicio de gusto puro no es interesado, es decir, que el fundamento determinante de un juicio es un placer desinteresado, sino que tal juicio no es inherentemente interesante, es decir, en sí o de suyo no genera un interés (*CJ*, §2, 129). Esta idea subyace a su notable triple alegato sobre la belleza natural, al efecto de que alguien que toma in-

---

[40] «su flexible pecho conmociona / afilados aires, y se tambalea en una duda vibrante /de demorada dulzura, suspendida sobre su piel,/ y se mezcla en ondeantes notas con un tremuloso beso/ Las series sobrepuestas de su somnolienta canción,/ entonces, de repente ella comienza con una multitud/ de breves y densos sollozos, cuyo imponente torrente flota/ y se enrolla sobre su húmeda garganta/ en jadeantes murmullos, destilados de su pecho/ aquella siempre rebosante primavera/».

terés inmediato en la belleza natural puede hacerlo solo en virtud de poseer al menos el germen de una disposición moralmente buena, alquien que en esencia es una persona moralmente buena no puede meditar sobre la belleza natural sin que esta reflexión genere un interés inmediato en la belleza natural, y es correcto exigir que cada persona tome ese interés. En el fondo de los pensamientos de Kant acerca de la posibilidad, inevitabilidad e importancia de un interés inmediato en la belleza natural está la idea de que se necesita una explicación del interés de una persona por la belleza natural –otra explicación que la del hecho de que la experiencia de la belleza es placentera–. Esta idea está implicada por la simple afirmación de Kant de que un juicio de gusto puro, de suyo, no da origen a ningún interés y con ello quiere decir que el placer que está en la base de un juicio de gusto no origina, de suyo, un interés. Claramente, se trata de la identificación que Kant hace del placer en lo bello como placer de belleza libre que le guía a defender que el placer en lo bello de suyo no genera un interés, puesto que el placer en la belleza libre es un placer independiente de cualquier concepto bajo el que un objeto pueda ser experimentado, mientras que un interés es placer en la ejemplificación de un concepto, placer de que el concepto esté ejemplificado en el objeto de nuestro juicio[41].

Dada la facilidad con la que Kant se mueve entre la concepción de un interés como placer proposicional y la concepción de un interés como deseo (bajo, o determinado por, un concepto), y que en ocasiones da más importancia a que alguien tome interés en la belleza natural a que la persona se deleite en que exista –también quiere decir que la persona desea experimentarla y, de ese modo, dedica con gusto tiempo en buscarla– es importante distinguir

---

[41] El placer en una forma bella no es placer en que tal forma esté ejemplificada. Como ya indicara (ensayo 2, I, §9), cuando el amante de la belleza natural se encuentra con un ítem natural bello, su placer es, a la vez, interesado y desinteresado. Es interesado puesto que se deleita en la existencia del objeto y desinteresado dado que deriva el placer de la forma, independientemente de su deseo de encontrar tal objeto o de que pudiera haber un objeto tal, o adicionalmente a su placer en que el ítem bello exista allí donde el sujeto se encuentra. De ello se sigue que, para Kant, los placeres deben especificarse al menos parcialmente por referencia a lo que hace que un placer sea placer de algo (su objeto intencional).

tres deseos que pueden estar asociados al placer de experimentar algo como bello. Estos son: (i) un deseo de continuar contemplando el objeto bello, (ii) un deseo de contemplar otros objetos (que posean) la misma forma y (iii) un deseo de contemplar otros objetos de la misma clase no-formal. La concepción de Kant del placer como auto-sostenible[42] requiere de su reconocimiento de que el placer en un objeto bello refuerza un deseo de la primera clase, el deseo de mantenerse contemplando el objeto, y él así lo reconoce: «[el placer en lo bello] posee una causalidad inherente, a saber, la de preservar el estado de la representación misma y mantener a las facultades cognitivas ocupadas sin otro ánimo ulterior. Persistimos en la contemplación de lo bello, porque esta contemplación se refuerza y reproduce a sí misma» (*CJ*, §12). Pero resulta claro que no existe una conexión inherente al placer de experimentar algo como bello y los deseos del segundo y tercer tipo: la experiencia de encontrar bella la forma de un objeto no necesita engendrar un deseo de experimentar otros objetos con esa forma; y el placer en un objeto bello de cierta clase no da, de suyo, razones para desear nada de esa misma clase –en espera de que eso pueda ser igualmente bello, puesto que el placer es placer en la forma del objeto y otros objetos de la misma clase no-formal podrían no tener esa forma bella (u otra, que también lo fuera).

De hecho, no parece haber diferencias relevantes entre el placer en lo bello y el placer en lo agradable, con respecto al segundo tipo de deseo: la experiencia de encontrar agradable la materia de un objeto no necesita generar deseo de experimentar otros objetos con esa materia. Y en la medida en que la experiencia de encontrar bella la forma de un objeto pueda, o no, generar el deseo de experimentar otros objetos con formas bellas diferentes, así la experiencia placentera de un tipo de materia podría, o no, generar el deseo de tener experiencia de materias placenteras de diferente tipo. Sin embargo, Kant mantiene que un juicio de lo agradable difiere de un juicio de lo bello en que, a diferencia del de lo bello, «expresa» un interés en

---

[42] Por ejemplo: «Conciencia de la causalidad de una representación implicada en el estado del sujeto tendente a preservar la continuación de ese mismo estado, puede ser mencionado aquí como designación de lo que generalmente se llama placer» (*CJ*, §10, 147).

su objeto, dando su razón de que, por medio de la sensación, tal juicio hace aflorar un deseo hacia objetos de esa clase:

> Ahora bien, que un juicio sobre un objeto, en el cual este es por mí declarado agradable, expresa un interés hacia el mismo, se colige claramente de que, mediante la sensación, se mantiene vivo mi deseo hacia objetos parecidos; la satisfacción, por tanto, presupone no el mero juicio sobre aquel, sino la relación de su existencia con mi estado, en cuanto este es afectado por tal objeto (*CJ*, §3, 131).

¿Cuál es el asunto que Kant trata aquí? Consideremos el placer en un sabor dulce. Sería equivocado identificar el placer del sabor dulce con el placer del sabor como instancia de esa clase (es decir, ser dulce), cuyo placer es placer del sabor cuando cae bajo un concepto: esto sería confundir el placer en su dulzura con placer en que sea dulce. Y sería equivocado combinar (i) el placer en que sea instancia de una clase (igual a un placer interesado), y (ii) el que haga aflorar un deseo hacia algo de esa clase, o inferir (i) de (ii). Por tanto, incluso si Kant llevaba razón en que el juicio de que algo es agradable hace aflorar un deseo hacia otros objetos de esa clase, el placer en lo agradable no es placer interesado, dada la concepción de Kant de interés. Pero, en cualquier caso, no es una verdad invariable que el placer en un objeto agradable haga aflorar un deseo de experimentar inmediatamente, antes o después, o siempre, otros objetos de la misma clase agradable: inhalar el olor de una flor con deleite no provoca necesariamente el deseo de repetir la experiencia.

Ahora bien, el punto vital con respecto a la belleza es que la posesión de la capacidad de hacer juicios de gusto puros y la familiaridad con su ejercicio no implica necesariamente la existencia de un interés en experimentar objetos libremente bellos. Puesto que, aparte de otras consideraciones, en general, la capacidad de experimentar placer de un cierto tipo no va de la mano, necesariamente, con el interés de experimentar tal placer, por el contrario, uno podría no querer experimentar placer alguno de esa clase, y el placer en lo bello no es una excepción a esta verdad general, siendo compatible con un interés negativo en su objeto; o sea, displacer en su existencia. En este sentido, Kant está claramente en lo cierto al afirmar que un juicio de gusto puro no genera, de suyo, un interés.

2.11. *Interés inmediato en la belleza natural*

Resulta vital para Kant que el interés inmediato de una persona en lo que toma como naturaleza bella sea dependiente del hecho de que sea naturaleza, de manera que si fuera asaltado por una réplica artificial ingeniosa su interés desaparecería al conocer la verdad:

> Pero aquí es digno de notar que si se engañara en secreto a ese amante de lo bello y se pusieran en el suelo flores artificiales (que se pueden hacer completamente iguales a las naturales) o se colgaran de las ramas de los árboles pájaros artificiales tallados, y después descubriera él el engaño, desaparecería en seguida el interés inmediato que antes tomaba en todo aquello. (...) El canto de los pájaros anuncia la alegría y el contento de su existencia. Por lo menos, así interpretamos la naturaleza, sea o no esa su intención; pero ese interés que aquí tomamos en la belleza exige totalmente que sea belleza de la naturaleza, y desaparece del todo tan pronto como se nota que se ha sido engañado y que solo es arte; de tal modo que el gusto, después, no puede ya encontrar en él nada bello, ni la vista nada encantador. ¿Qué aprecian más los poetas que el canto bello y fascinador del ruiseñor, en un soto solitario, en una tranquila noche de verano, a la dulce luz de la luna? En cambio hay ejemplos de que donde no se ha encontrado ningún cantor semejante, algún alegre hostelero, para contentar a sus huéspedes, venidos a su casa para gozar del aire del campo, los ha engañado escondiendo en un soto a algún compadre burlón, que sabía imitar ese canto como lo produce la naturaleza (con un tubo o una caña en la boca); pero, conocido el engaño, nadie consentirá en oír largo tiempo esos sonidos, tenidos antes por tan encantadores, y ocurre lo mismo con cualquier otro pájaro cantor. Tiene que tratarse de la naturaleza misma o de algo que nosotros tengamos por tal, para que podamos tomar en lo bello, como tal, un interés inmediato, y más aún si hemos de exigir de los demás que también lo tomen en él, lo cual ocurre, en realidad, al estimar nosotros como groseros y poco nobles a quienes no tienen sentimiento alguno de la naturaleza bella (pues así llamamos la capacidad de un interés en su contemplación), y se atienen a la comida o a la bebida en el goce de meras sensaciones de los sentidos[43].

[43] Kant, I., *Crítica del Juicio*, Madrid, 1981, Austral, §42, pp. 240-1, 244.

Encontramos aquí un número de afirmaciones o sugerencias que necesitan ser desenredadas. En primer lugar, tenemos la idea de que experimentamos los sonidos del canto de un pájaro *como bellos,* solo si los escuchamos como producidos naturalmente[44]. Pero esta sugerencia entra en conflicto con la inclinación de Kant a contemplar nuestros juicios de belleza natural, típicamente, como juicios de belleza libre (en el sentido fuerte de que el juicio no está basado en el objeto visto bajo ningún concepto particular del mismo). Además, la *forma* del canto de un pájaro no parece cambiar si, primero, lo oímos como algo que es producido naturalmente y, segundo, como algo artificial. En concordancia, según entiende Kant la belleza predicada apropiadamente solo de la forma, no puede sostener, sin contradecirse, que los sonidos son escuchados como bellos solo si han sido escuchados como producidos naturalmente. Independientemente de esta cuestión específica, debe quedar claro que incluso el deleite en la belleza natural de un amante de la belleza natural de Kant, que posee un interés inmediato en la belleza natural, no constituye para Kant apreciación estética de la naturaleza como naturaleza (en el sentido positivo). La razón es que está formada por dos componentes, uno estético y el otro no: un placer desinteresado en la forma de un objeto y un interés en que el objeto sea natural. Por tanto, no es esencial al deleite estético que el objeto sea natural, o de un cierta clase natural.

Así pues, tenemos la sugerencia de que el atractivo del canto de un pájaro se deba a que ha sido escuchado *como si fuera expresión emocional*[45]. A pesar de que esto parece ofrecerse como un añadido a su belleza, quizá sea buscado como una explicación alternativa de su atractivo. Esta interpretación recibe alguna confirmación de un pasaje temprano anterior sobre el canto de los pájaros:

[44] La generalización de esta afirmación —que un ítem natural sea experimentado como bello solo si es experimentado como natural— resulta claramente insostenible.

[45] El claro reconocimiento de esto bien puede haber conducido a Kant a reconocer clases de juicio estético acerca de ítems naturales que están ausentes de su clasificación (véanse las consideraciones del ensayo 2, I, §7). No todos los poetas han pensado en el atractivo del canto de un pájaro como la expresión del pájaro de su alegría de vivir: «el pájaro no sabe nada de la alegría / tan solo es una máquina de canto» (George McDonald).

El canto mismo de los pájaros, que no podemos reducir a reglas musicales, parece encerrar más libertad y, por tanto, más alimento para el gusto que el canto humano mismo dirigido según todas las reglas musicales, porque este último más bien hastía cuando se repite muchas veces y durante largo tiempo. Pero en esto probablemente confundimos nuestra simpatía por la alegría de un pequeño animalito amable con la belleza de su canto, que, cuando es imitado exactamente por el hombre (como ocurre a veces con el canto del ruiseñor), parece a nuestros oídos totalmente desprovisto de gusto (*CJ*, «Nota general a la primera sección analítica», pp. 174-5).

Aquí Kant parece defender tanto que (esta es la lectura obvia) el canto de un pájaro (el de un ruiseñor, por ejemplo) no es bello –la impresión aflora solo porque confundimos nuestra respuesta empática (o simpática) a la (supuesta) alegría del pájaro con que hallemos bello su canto– o que sea oído como bello solo si también lo oímos como producido por un pájaro. La primera alternativa implicaría que alguien que toma un interés inmediato en el canto de un pájaro –solo porque es natural– no es por ese motivo alguien que tiene interés inmediato en la *belleza* natural. Y esta sugerencia parece correcta. Porque raramente, si es que se da, el canto de un pájaro tiene un alto grado de belleza, en comparación con otros innumerables productos del arte de la música, y nuestro deleite en el canto de un pájaro es o bien deleite en una serie de sonidos con al menos un pequeño grado de belleza siendo producto de la naturaleza, y no arte, o bien una función en absoluto del tipo de belleza que pueda tener sino de nuestra interpretación de él como expresión de la vitalidad del pájaro.

Pero estos son asuntos menores que como mucho exigen eliminar el canto de los pájaros y otros fenómenos naturales no bellos, sino emocionalmente expresivos, del catálogo de fenómenos naturales bellos en los cuales se puede tomar un interés inmediato. Lo que resulta fundamental es el requerimiento de que el interés inmediato que tomemos en objetos naturales bellos debe estar basado únicamente en la idea de que la belleza es producto de la naturaleza. La afirmación crucial de Kant es que es condición necesaria de nuestro mostrar *interés inmediato* por lo bello como tal, que lo tomemos como natural, *a fortiori*, si queremos estar justificados al exigir que otros se tomen también tal interés, y

Kant mantiene que realizamos tal exigencia a los demás, como es sabido, por el hecho de que contemplamos los hábitos de pensamiento de aquellos quienes (i) no toman interés inmediato en la naturaleza bella, y (ii) se dedican, en su lugar, a «los meros disfrutes hallados en el sentido de comer y beber», como groseros e innobles. Kant piensa que un interés inmediato en lo bello de la naturaleza solo está indirectamente conectado con (que el hecho de que) alguien encuentre algo bello. El interés es inmediato en lo que tiene de interés por la bella naturaleza en sí misma, no por ninguna otra razón[46], y, en particular, no porque sea pensado en conexión con lo moralmente bueno; la conexión es indirecta en el sentido de que no es generada por un juicio de gusto puro como tal (incluso uno que sea hecho acerca de un objeto que sabemos que es natural), pero está mediado por la adecuabilidad de la belleza natural para ser vinculada a lo moralmente bueno. Y la conexión entre la belleza natural y la moralidad, a priori, no es empírica[47]: el interés en la belleza natural aparece en virtud de una conexión a priori entre la experiencia de encontrar un objeto natural bello y el sentimiento de placer de ser consciente de que nuestra acción está en conformidad con lo que la moralidad requiere de nosotros (un sentimiento moral positivo).

[46] Kant entiende la idea de un interés por algo en sí mismo de manera que un interés en algo intencionalmente diseñado para complacer (al haber sido así intencionalmente diseñado) no es un interés inmediato (*CJ*, §42). Es esto lo que le capacita para rechazar la posibilidad de un interés inmediato en el arte bello. (Nótese que alguien puede complacerse en que un objeto natural exista en un cierto lugar sin que este interés sea inmediato, como sucede con el interés financiero de un conservador de un parque público, que no es un amante de la belleza natural, de que debe haber un objeto natural bello en una posición determinada en el parque.)

[47] Kant identifica un interés empírico por la belleza que poseemos en virtud de ser miembros de una sociedad (*CJ*, §41). Nuestra sociabilidad —nuestra propensión y adecuación a la sociedad— implica una participación, no solo en dar placer a otros, sino especialmente interés por aquellos placeres que cada persona puede compartir, placeres que son universalmente comunicables. Pero el placer en lo bello es justamente ese placer. Por tanto, nuestra sociabilidad nos conduce a embellecernos a nosotros mismos y a nuestros entornos, a presentarnos ante los demás de forma estéticamente atractiva, a vestirnos con ropas bonitas y adornarnos a nosotros y a nuestras casas con objetos bellos. Pero este interés empírico no se encuentra en el corazón de las preocupaciones filosóficas de Kant; está focalizado en el arte más que en la belleza natural, y la actitud de Kant frente a él es, de hecho, equívoca.

2.12. Moralidad e interés inmediato en la belleza natural

¿Por qué el interés inmediato por lo bello natural –un deseo[48] de encontrar y experimentar belleza natural, por ninguna otra razón que no sea admiración y amor a la belleza natural, e incluso con algún coste personal– es una indicación de valía moral? ¿Cómo explican, exactamente, los dos factores, la naturalidad de un ítem y su belleza, la conexion entre el deseo y el valor moral? El objeto intencional del deseo (o placer) es un ítem de belleza natural –lo cual, para Kant, contemplándolo como objeto de belleza libre, significa que es de tal manera que nos provee de placer desinteresado en su forma perceptiva, que se experimenta como si exhibiera su finalidad, pero no es contemplado de hecho como poseyendo finalidad alguna o habiendo sido producido por una voluntad–. Este placer desinteresado no produce *como tal* un interés. Lo que define a una persona virtuosa es su motivación. Para Kant, la motivación de la persona moralmente buena es la obligación del deber por el deber mismo –lo cual interpreta como que el agente actúa en virtud de un juicio según la forma de su máxima, a saber, aquella que puede ser querida como ley universal, siendo el juicio fundado no en un interés sino *produciendo uno*–. La posición de Kant parece ser la de que una persona que reflexiona acerca de la belleza de la naturaleza mostrará un interés inmediato en la belleza natural si, y solo si, tiene al menos el germen de una disposición moral buena[49].

---

[48] Como he indicado en el ensayo 2, I, §9, Kant se desliza libremente entre la idea de interés como deseo y la idea de interés como placer en la existencia de algo. Así, en la segunda lectura, él afirma que alguien que toma interés inmediato en la belleza natural no solo «su producto según la forma, sino la existencia del mismo le place, sin que un encanto sensible tenga parte en ello o él mismo enlace aquí algún fin» (*CJ*, §42, 240).

[49] La condición necesaria: «Ese interés es, según la afinidad, moral, y quien lo toma por lo bello de la naturaleza no puede tomarlo más que en cuanto ya anteriormente haya fundado bien su interés en el bien moral. A quien interese, pues, inmediatamente la belleza de la naturaleza, hay motivo para sospechar en él, por lo menos, una disposición para sentimientos morales buenos» (*CJ*, §42, 242). La condición suficiente: «no puede el espíritu reflexionar sobre la belleza de la *naturaleza*, sin encontrarse, al mismo tiempo, interesado en ella» *(CJ, §42, 242),* Kant afirma que si un interés inmediato acerca de la belleza natural es habitual y se asocia de inmediato a sí mismo con la contemplación de la naturaleza, ello indica, al

En sí misma la segunda parte de esta posición es insustancial, puesto que prácticamente todo humano adulto posee el germen de una buena disposición moral y, quizá, la mayoría desarrollado de alguna u otra forma. Esta parte de la posición de Kant obtiene su mordacidad de la afirmación de que es la posesión de esta, potencialmente –esta y solo esta–, lo que puede explicar que cualquiera tome un interés inmediato en lo bello natural. En apoyo de su concepción presenta un argumento principal y otro de apoyo: el primero, para establecer una parte de su posición; el segundo, respondiendo al escepticismo pronosticado sobre un elemento crucial del primer argumento.

El primero se expone más o menos así (*CJ*, §42): como agentes morales tenemos necesariamente interés por la «realidad objetiva» de nuestras ideas morales, lo que significa que tenemos interés en que la naturaleza nos muestre algún rastro o insinuación de que se halla en armonía con los fines de nuestra moral. Así, debemos tomar interés por cualquier manifestación de la naturaleza de una armonía que se asemeje a aquella armonía. La existencia de la belleza natural es tal manifestación. Por tanto, no podemos reflexionar sobre la belleza de la naturaleza sin al mismo tiempo encontrarnos con que tomamos interés por ella. Ahora, este interés es similar al interés moral (placer en la existencia de acciones moralmente buenas), y alguien que toma un interés inmediato por la belleza natural puede hacerlo solamente en la medida en que ya posee un interés sólidamente basado en lo moralmente bueno.

Este argumento comienza derivando un interés por la belleza natural de nuestro deseo de encontrar la naturaleza en armonía con nuestros fines morales, por medio de la familiaridad o afinidad interior entre los dos intereses, y entonces proceder a la conclusión de que un interés por la belleza natural es posible solo para alguien con un interés sólidamente basado en lo moralmente bueno. Un rasgo peculiar del argumento es que se desliza en la afirmación de que una condición *necesaria* de que alguien tenga un interés inmediato por la belleza natural es que tenga ya un interés sólido en la mora-

menos, un temperamento mental favorable hacia los sentimientos morales (*CJ*, §42, 240), y que alguien con buen juicio artístico que voluntariamente abandona el arte bello por la bella naturaleza posee un alma bella (*CJ*, §42, 241).

lidad, a partir de un añadido a la conclusión de que es condición *suficiente* de alguien que se interesa por la moralidad y se interese por la belleza natural que reflexione sobre la belleza natural. El argumento que conduce a esta conclusión es él mismo cuestionable. La idea es que un agente moral debe tener interés en el hecho de que la naturaleza muestre algún rastro o insinuación de que ella misma es receptora de los fines de la moralidad, y por tanto, ese agente debe tener interés en cualquier manifestación que se dé en la naturaleza de una armonía que se asemeje a esa armonía. Pero, hasta donde llega el argumento de Kant, la existencia de la belleza natural, que hace que la naturaleza no resulte ajena a lo humano y pueda promover nuestro sentido de pertenencia a ella, revela solamente que la naturaleza es hospitalaria con el ejercicio estético de nuestras facultades cognitivas. La afinidad que indica entre lo humano y el mundo natural no concierne a nuestra habilidad para cumplir nuestros fines morales, sino a la satisfacción de nuestro deseo de belleza[50]. Y Kant no ofrece razón alguna de por qué la satisfacción que la naturaleza da a nuestro deseo de belleza deba ser tomada como indicativo de su armonía con los fines de la moral. Semejanza entre dos armonías no es lo mismo que identidad y no garantiza que el interés en una de ellas engendre interés en la otra. Además, suponiendo que fuera posible que la naturaleza no contuviese formas naturales bellas, la capacidad de alcanzar los fines de la moral sería, parece, exactamente la misma, tan fácil o tan difícil como en el mundo real. Por ello, la existencia de belleza natural no debe ser tomada como una sugerencia de que la naturaleza simpatice con la consecución de aquellos fines. El hecho es que la naturaleza externa no puede mostrarse ni hospitalaria, ni hostil, con nada requerido por nosotros como moral.

Kant toma la afinidad entre el placer en la forma de un objeto natural y el sentimiento moral que ha identificado como la «verdadera

---

[50] En la *Crítica del Juicio Teleológico*, Kant defiende que los organismos deben ser pensados como posibles solo como finalidades naturales; lo que esto implica es que debemos pensar en todo lo natural como un sistema de finalidades de la naturaleza, y lo que esto nos permite es contemplar la naturaleza como favorecedora de lo humano al desplegar tales variadas y bellas formas, lo cual es algo por lo que debemos amar a la naturaleza (*CJ*, §67). Pero, dejando aparte cualquier otra consideración, la premisa no resulta ahora plausible.

interpretación de la cifra a través de la que la naturaleza nos habla figurativamente en sus bellas formas» (*CJ*, 242). En defensa de su interpretación vuelve a la analogía entre un juicio de gusto puro y un juicio moral: un juicio de gusto puro no es un juicio acerca de la materia, sino de la forma de un objeto, a saber, de su adecuabilidad para dar placer universal; un juicio moral acerca de la corrección o incorrección de la acción según cierto principio no es un juicio acerca de la materia, sino de la forma del principio, a saber, de la adecuabilidad de ser querido como ley universal[51], y ninguno de los dos está basado en lo que el sujeto desea. El punto de la analogía que Kant destaca y desea explotar[52] es el hecho de que, a pesar de sus diferencias, ambas clases de juicios representan un placer –en un caso, placer en la forma de un objeto; en el otro, placer en una acción moralmente buena– universalmente apropiado, la respuesta correcta al objeto del juicio (siendo, el primero de estos placeres, desinteresado, y el segundo, un interés). Su afirmación es que esta analogía conduce a un cierto tipo de persona, una que piensa de forma moralmente buena o que ha sido educada para hacerlo

---

[51] De hecho, hay una ambigüedad en la noción de forma. La forma de un objeto bello es la estructura de sus elementos (en virtud de la cual se adecua y place a todo hombre); pero la forma de una máxima o principio de acción justamente es su concordancia o conflicto con el requerimiento de la universalidad deseada, su adecuación o inadecuación en ser deseada como principio desde el que cada persona actúe.

[52] Dadas las tensiones aparentes del texto de Kant, las similaridades entre algunas de sus ideas acerca del amante de la belleza natural y otras que posteriormente ofrece como explicación de la afirmación de que la belleza (tanto del arte como de la naturaleza) es el símbolo de la moralidad (de lo moralmente bueno), y el hecho de que Kant siempre interpreta la belleza (tanto del arte como de la naturaleza) como belleza de la forma, puede pensarse que no estaría mal leer algunos puntos de la analogía entre la belleza y lo moralmente bueno indicada por Kant en apoyo de la idea de que la belleza es el símbolo de lo moral, si volvemos a la primera discusión del amante de la belleza natural. Para Kant, el rasgo principal de la belleza en virtud del cual es símbolo de lo moralmente bueno es la libertad esencial al reconocimiento de la belleza: por un lado, hay un libre juego de la imaginación (dentro de los límites impuestos por las leyes de la naturaleza del entendimiento) que es constitutivo de la experiencia de la belleza; por otro, la libertad de la voluntad (en la que la voluntad es una ley para sí misma) que es requerida por lo moralmente bueno. Sin embargo, trasladar este paralelo a la consideración del amante de la naturaleza no parece reforzar esencialmente los argumentos de Kant.

así, a tomar exactamente el mismo y fuerte interés inmediato por la belleza natural que por las acciones moralmente buenas, produciéndose este efecto sin que la persona necesite comprometerse en ningún proceso de reflexión deliberado, sutil y distinto. Ello parece querer decir que un amante de la belleza natural no necesita haber identificado ninguno de los puntos de la analogía que Kant indica, para que esta genere su interés inmediato en la belleza natural. Y Kant ciertamente contempla que los conceptos de belleza y de lo moralmente bueno de una persona normal (ordinaria) son «confusos» o «indistintos»[53], descartando así una conciencia articulada de estos puntos de la analogía. Pero no queda claro cómo exactamente concibe Kant el efecto que atribuye y al que da lugar la analogía. ¿Debe el amante de la belleza natural ser consciente en algún sentido de que hay una analogía, incluso si su idea es «confusa»? ¿Es necesario que la analogía opere por completo en un nivel de conciencia? Quizá la idea sea que alguien que experimente placer desinteresado en la percepción y contemplación de objetos naturales bellos y que se incline a lo moralmente bueno inevitablemente se verá conducido a tomar interés en la belleza natural, a través de una conciencia inarticulada del paralelo entre, por un lado, el sentimiento moral («la susceptibilidad de sentir placer o displacer meramente de ser conscientes de que nuestras acciones son consistentes o contrarias a la ley del deber» (Kant, 1991: 201)), esto es, la susceptibilidad de un interés por acciones moralmente buenas, y, por el otro, con un sentimiento hacia la belleza natural, esto es, la «susceptibilidad hacia el interés [inmediato] en la contemplación de la bella naturaleza» (*CJ*, §42, 244), sin que este paralelo sea la razón por la cual la persona tome tal interés. Pero Kant no dice nada acerca de ello.

Sin embargo, incluso si la analogía que Kant indica conduce de alguna forma al efecto que él desea, ello no establece que una persona que tenga un interés inmediato en la belleza natural deba ser alguien que tenga un compromiso con la moral o al menos una alta potencialidad en desarrollar tal compromiso, puesto que debe

---

[53] Para un reconocimiento explícito de este carácter del concepto de belleza como poseído por alguien que no puede exponer sus elementos, véase Kant (1992: 545).

haber formas alternativas por las que un interés por la belleza natural pueda ser generado. Ni tampoco muestra que la persona moralmente sensible, que medite o reflexione acerca de la belleza natural, deba o tenga probabilidad de desarrollar un interés por la belleza natural: como mucho, eso muestra cómo alguien así puede desarrollar este interés, aunque un entendimiento real del crecimiento de ese interés, fuera de un proceso de meditación o reflexión acerca de la belleza natural, precisaría de la caracterización del contenido de ese proceso. Y la consideración adicional que Kant presenta –que nuestro fallo en encontrar la intención subyacente a la finalidad de las formas naturales bellas exteriores a nosotros (en la finalidad de la naturaleza) nos conduce naturalmente a buscarla en nosotros mismos, en la finalidad última de nuestra existencia, en nuestra vocación moral, en la exigencia de ser una persona moralmente buena, de poseer una voluntad buena (*CJ*, 243)– falla manifiestamente en reforzar su posición. Porque, aparte de cualquier otra consideración, esto supone que nos vemos en la obligación de encontrar una finalidad de la belleza natural en alguna parte –una finalidad que concierna al hombre; una asunción que es infundada–. Por tanto, el intento de Kant de establecer que un sentimiento moral es una condición necesaria y suficiente de un sentimiento hacia la belleza natural no es convincente.

El tercer elemento en la tesis tripartita de Kant acerca del amor hacia la belleza natural nos dice que es correcto exigir que cada persona se tome interés inmediato por la belleza natural. En otras palabras, todo el mundo debería tomarse ese interés[54]. Pero el hecho de estar justificado en la exigencia que cada persona se tome interés inmediato en la belleza natural no sería suficiente (ni tampoco necesario) para establecer que solamente hábitos de pensamiento educados en lo moralmente bueno, o altamente susceptibles de tal entrenamiento, puedan explicar la existencia de un interés inmediato en la belleza de la naturaleza, y producir tal interés en una persona decente moralmente que reflexiona acerca de la belleza natural. Lo que requiere, más bien, es de un argumento convincente para llegar a la conclusión de que un interés inmediato en la belleza

---

[54] Aunque Kant no hace esta afirmación explícitamente, queda claro que él consiente en que realicemos esta exigencia (*CJ*, §40, 237; §42, 244).

natural, como quiera que este pueda suceder, fomenta el desarrollo de un sentimiento moral de manera especialmente efectiva. Puesto que solamente si un interés inmediato en la belleza natural hace que uno se adentre, o fomenta, o facilita el que uno se convierta en una persona moralmente buena, incluso así, que un buen caso pueda realizarse en el cultivo de una apreciación de la belleza natural no sería un dato abrumadoramente fuerte, a menos que el amor a la belleza natural alcanzado no pudiera ser obtenido de otra forma, o no tan fácilmente. Resulta evidente que Kant busca esta conclusión, especialmente porque ello habilitaría a que el juicio de gusto puro efectuara una transición desde la percepción y el deleite en el mundo natural hasta el sentimiento moral. Kant afirma (*CJ*, «Introducción», IX, 123) que la operación armoniosa de la sensibilidad y el entendimiento en la experiencia de la belleza promueve la receptividad del sentimiento moral en el espíritu, haciendo del concepto de una finalidad de la naturaleza un enlace mediador adecuado entre los reinos de la naturaleza y de la libertad. Defiende que la disposición «a amar algo (e.g., las bellas formaciones cristalinas, la indescriptible belleza de las plantas) incluso apartada de la intención de usarlo» «promueve enormemente la moralidad o al menos prepara el camino para ella» (Kant, 1991: 237). Y afirma que «lo bello nos prepara para amar algo, incluso a la naturaleza, fuera de todo interés» (*CJ*, «Nota general a la exposición de los juicios estéticos reflexionantes», 203). Pero hay una diferencia crucial entre amar algo fuera de todo interés y estar feliz de actuar contrariamente a deseos fuertemente centrados en uno mismo o hacia otros que entren en conflicto con las exigencias de la moral. El amor a la belleza natural, para ser adecuado para impulsar el desarrollo de la moral, necesitaría, según la concepción de la moralidad de Kant, hacerle a uno receptivo a la llamada de razones para la acción que no estén basadas en los propios deseos. Pero el deleite en la belleza natural no tiene nada que ver con las razones para la acción y, puesto que Kant era plenamente consciente de ello, no es de sorprender que su afirmación vaya inmediatamente seguida de:

> Y aunque el placer inmediato en lo bello de la naturaleza supone y cultiva igualmente una cierta *liberalidad* del modo de pensar, es decir, independencia de la satisfacción del mero goce sensible, sin embargo, mediante él, la libertad es representada en el *juego* más

bien que en una *ocupación*, conforme a la ley, que es la verdadera propiedad de la moralidad del hombre, en donde la razón debe hacer violencia a la sensibilidad (*CJ*, 205).

Tanto si la preparación para la moralidad que Kant tiene en mente concierne a la preparación de los niños para entrar en el mundo moral o a la preparación de aquellos en el mundo moral para dar preferencia a sus acciones sobre razones no basadas en sus deseos, parece claro que hay más formas efectivas de promover el desarrollo de la moralidad en alguien que a través de impulsarles a amar la belleza natural. En conclusión, la triple tesis de Kant sobre un interés inmediato en la belleza natural no está, por tanto, basado en argumentos convincentes.

Una nota sobre Schiller

Al comienzo de su ensayo inmensamente influyente *Sobre poesía ingenua y poesía sentimental* (1951), Schiller identifica una clase particular de interés en la naturaleza, que experimentamos de tiempo en tiempo, que envuelve un tipo de amor y tierno respeto por la naturaleza *meramente porque es naturaleza*. Este puede ser, por ejemplo, deleite en «una modesta flor, un arroyo, en una piedra con musgo, el piar de los pájaros, el zumbido de las abejas» o en un niño. Esta clase de satisfacción no es una función de la belleza de las formas de los ítems naturales, que comparativamente puede ser poca. De hecho, esta clase de amor por la naturaleza es una satisfacción moral, no estética. Y no son los objetos mismos los que proporcionan una razón a nuestro amor. Más bien, lo que nosotros deseamos en ellos es la idea que representan, la idea de una naturaleza naif, que ha de ser entendida como «existencia no coaccionada, la subsistencia de cosas por sí mismas, su existencia en concordancia con sus propias leyes inmutables»:

De ellos atesoramos la silenciosa vida creativa, su actuar serenamente por sí mismos, sus existencias en concordancia con sus propias leyes, la necesidad interior, la unidad eterna consigo mismos.

De acuerdo con Schiller, estos ítems naturales poseen un carácter que una vez fue el nuestro propio (cuando éramos niños) y que debemos luchar por recuperar para ser seres humanos completos o ideales, y es por esa razón que ellos evocan un sentimiento que resulta ser una curiosa mezcla de una determinada melancolía (por lo que hemos perdido) y lo sublime (al que debemos aspirar volver a ser) –de manera que «nuestro sentimiento por la naturaleza sea como el sentimiento de un inválido por la salud»[55]–. Lo que nos diferencia de ellos es que, mientras que en ellos hay necesidad, nosotros somos libres y, mientras que nosotros cambiamos, ellos se mantienen en unidad. Un ser humano ideal es aquel en el que cada uno de estos pares, libertad y necesidad, cambio y unidad, están combinados con el otro miembro –la voluntad, libremente, obedece la ley de la necesidad y la razón mantiene sus reglas. Por «ley de la necesidad» Schiller quiere decir principio fundamental de la moralidad, de que, en virtud de nuestra posesión de la libertad de la voluntad, es siempre posible para cada uno de nosotros actuar en concordancia con él, y que es de tal forma que resulta necesario que así lo hagamos. Y no seremos seres divididos en los que sentimiento y razón persigan sus metas separadas, si siempre hacemos lo que la moral nos exige que hagamos, no porque seamos empujados por nuestros deseos y sentimientos hacia un lado y por la razón hacia otro, sino porque nuestros deseos y sentimientos están formados por la moral, y por ello no corren en contra de ella. La idea de Schiller es que la división que sufrimos, como seres a la vez sensuales y morales, no ha de ser reemplazada por un retorno a un estado de naturaleza naif, aquel de cuando éramos niños inconscientes, uno con nosotros mismos, cuando no existía intervención reflexiva entre el instinto y la acción precisamente porque carecíamos de la capacidad de reflexión sobre nosotros, sino por un progreso hacia una sensibilidad reunificada, a un estado de equilibrio de nuestros aspectos sensual y racional, una compleja unificación de los dos lados de nuestra naturaleza, en la cual no hay conflicto

---

[55] Schiller afirma que los antiguos griegos carecían de este sentimiento hacia la naturaleza precisamente porque, a diferencia de nosotros, ellos no habían perdido la naturaleza en la humanidad –la naturaleza que ha desaparecido de nuestra humanidad.

entre sentimiento y pensamiento, pues nuestros sentimientos se han moldeado para armonizar con la moral y nuestros pensamientos se expresan a sí mismos en acción apropiada a través de ellos. En términos de *La educación estética del hombre* (Schiller, 1982), el ideal de la vida humana es ser una persona en quien los dos conductores fundamentales, el sensual y el racional, estén plenamente desarrollados y en perfecta armonía, en quien la capacidad de pensar y actuar racionalmente ejerza una autoridad no coercitiva, libre, sobre una vitalidad animal, floreciente y rica, alimentada por la experiencia, en quien la moral no sea en adelante un constreñimiento para el deseo y el sentimiento, que han sido educados en concordancia con las exigencias del deber.

Como Kant, Schiller insiste en que el sentimiento particular de deleite en la naturaleza que tiene en mente sería destruido si descubriéramos que lo que era tenido por ser algo natural es una réplica artificial de ello. Pero, aunque Schiller acredita que Kant es la primera persona en reflexionar acerca de la significación de la distinción entre un ítem natural y una imitación perfecta de él, la preocupación de Schiller sobre el amor a la naturaleza es muy diferente a la de Kant: mientras que la de Kant es amor a la belleza natural, la de Schiller es amor a la naturaleza naif, la cual bien puede poseer poca belleza y, en cualquier caso, no es amada por ser un producto bello de la naturaleza. Y sus concepciones del interés en la naturaleza –para Kant, belleza natural; para Schiller, naturaleza naif– son significativamente distintas: mientras que Kant no contempla el placer en la existencia de la belleza natural, como una satisfacción moral, Schiller mantiene que ese placer en la naturaleza naif es una satisfacción moral.

Pero, ¿en qué medida es convincente la visión y la explicación de Schiller del amor a la naturaleza meramente porque es naturaleza? Las cosas naturales que él toma como reclamo de nuestro amor incluyen seres vivientes, no vivientes, e inertes. Mantiene que lo que amamos en la naturaleza ingenua es algo de lo que nosotros ahora carecemos. Su descripción de este carácter incluye «la vida silenciosamente creativa» y «su actuar serenamente por sí misma», lo cual, tomado de forma más o menos estricta, parecería afectar solamente a cuerpos vivos, y debería ser entendido como proyecciones significantes de características humanas deseables sobre la naturaleza. No resulta sorprendente, por tanto, que las dos caracterizaciones que él destaca –«la necesidad interior» y «la eterna unidad con ellos mismos»– sean las que parezcan tener un alcance totalmente abarcante. Pero, ¿qué es lo que significan exactamente? «Necesidad interior» y «eterna unidad», tal y como Schiller las entiende, no son cosas completamente distintas, sino diferentes aspectos de una misma cosa. Nosotros, a diferencia de cualquier cosa no humana, somos libres de actuar en concordancia con cualesquiera que sean los principios que elijamos y, de tiempo en tiempo, cambiamos de principios según los que actuar. Así, carecemos de necesidad de actuar en concordancia con un principio particular y de la unidad de actuar siempre según el mismo principio. El sentido en el cual el ser humano ideal no cambia es que no hay cambio en los principios que determinan su comportamiento, lo cual se refleja en el mundo natural en las criaturas vivientes determinadas por sus necesidades e instintos, en los cuerpos orgánicos inertes que poseen un principio de crecimiento construido en ellos como cosas de una cierta clase natural, y en los cuerpos inanimados determinados por su naturaleza física interna y las leyes inmutables de la física.

Pero si esto es lo que Schiller tiene en mente[56], su concepción del amor a la naturaleza ingenua parece extravagante. En primer lugar, ¿en alguna ocasión contemplamos una roca o un río representando la concepción de Schiller de la naturaleza ingenua y los amamos por la idea que ellos representan? No ha habido ni un solo momento de mi vida en el que yo lo haya hecho[57].

---

[56] Frederik Beiser (1998: 228) interpreta la concepción de la naturaleza ingenua de Schiller como representación de «un estado de completa independencia, de total auto-suficiencia, de ausencia de necesidad y limitación», que resulta manifiestamente falso acerca de la vida animal, e identifica el estado en que hemos vivido como niños como uno de «completa independencia porque estábamos en armonía con nosotros mismos, con los otros y con el mundo externo», un estado en el que ningún niño vive.

[57] Resulta confuso saber exactamente qué es lo que Schiller tiene en mente por amor a la naturaleza, meramente como tal. Difícilmente alguien, quizá nadie, experimente amor hacia la «parte de una cosa», digamos, por un pedazo de roca indistinguible, meramente porque es natural. Si lo que él tiene en mente ha sido estar en la naturaleza, libre para caminar o parar donde le plazca, sin cruzarse con humanos o signos de ellos, habría explicaciones más plausibles de la satisfacción

En segundo lugar, abstrayéndonos, como debemos, de cualquier atractivo estético que puedan tener, ¿las cosas inanimadas, las flores y los árboles, por ejemplo, o las cosas sentientes, como pájaros y abejas, cuando nos deleitan por ser naturales, evocan nuestro amor por «su necesidad interior» y su «eterna unidad consigo mismos» –características que comparten seres animados e inanimados–? ¿No es más bien por lo que es distintivo de ellos –por ser formas de vida–? Algunos de nosotros tenemos respeto por la vida en todas, o al menos en muchas, de sus formas y podemos experimentar deleite en sus manifestaciones, sin importarnos lo escaso que resulte su atractivo estético, meramente porque son cuerpos vivientes –no meramente por ser naturales–. Pero quizá esto sea evitar la intención de Schiller. Puesto que, contemplados como caso especial, los niños pequeños, sus agudas observaciones, reconocen el carácter distintivo de los objetos que evocan el sentimiento por la naturaleza en el que él está interesado. El caso de los niños es especialmente instructivo puesto que, además del contraste entre su naturalidad y nuestra artificialidad, Schiller también indica su potencial todavía ilimitado en contraste con nuestra condición limitada, la cual siempre se queda corta con respecto a lo que era posible. Cuando, en determinados momentos, nos sobrecoge la ternura por la presencia de los niños, Schiller señala correctamente que el sentimiento no es pensado adecuadamente solo, o incluso por completo, como resultante de la idea de indefensión de ese niño. Más bien, es la idea de la «determinación ilimitada» y la inocencia lo que nos toca o nos conmueve, como es evidente por el deleite de nuestra emoción mezclado con cierta melancolía. Mientras que el potencial de un niño es «infinito», el nuestro es limitado por aquello en lo que nos hemos convertido e inevitablemente se queda corto frente al ideal humano, y mientras que nuestra experiencia es tal que nos hace introspectivamente divididos, un niño pequeño carece de la capacidad de reflexionar sobre sí mismo, y por tanto no sufre una conciencia dividida. Sin embargo, generalizar de los niños a otros seres animados, vivientes y no vivientes, y también a cuerpos

de su ser moral –libertad frente a las exigencias de la moral, por ejemplo (dejando a un lado las posibles exigencias morales de la naturaleza viviente, no humana).

inertes, construyendo en nuestra respuesta el carácter distintivo del objeto, no logrará, creo, que resulte plausible la concepción de Schiller de nuestros sentimientos por la naturaleza (meramente porque es naturaleza) como una mezcla de melancolía y de sublimidad debido a que estos ítems naturales representan una idea de lo que una vez fuimos y deberíamos luchar por volver a ser[58].

III. Sobre lo sublime en la naturaleza en Kant

Ma sedendo e mirando, interminati
Spazi di là quella, e sovrumani
Silenzi, e profondissima quiete
Io nel pensier mi fingo; ove per poco
Il cor non si spaura.
Giacomo Leopardi, «L'infinito»[59]

in all time,
Calm or convuls'd –in breeze, or gale, or storm,
Icing the pole, or in the torrid clime
Dark-heaving; -boundless, endless, and sublime-
The image of Eternity...
Lord Byron, *Childe Harold's Pilgrimage*[60]

[58] La explicación que Schopenhauer da al placer que sentimos al observar animales (Schopenhauer, 1974: ii. 582-3) da en el clavo. Nuestro placer al contemplar a «los animales más inteligentes y elevados» es placer en la «completa ingenuidad de todas sus expresiones», es decir, su incapacidad para disimular, y el placer en contemplar cualquier animal libre, un pájaro, una rana, un erizo, una comadreja, un corzo o un ciervo desarrollando su vida se debe principalmente al hecho de que «nos sentimos deleitados de ver ante nosotros nuestra propia naturaleza [la voluntad de vivir] enormemente *simplificada*».
[59] «Mas me siento y contemplo, espacios infinitos más allá, y silencios sobrehumanos, y la más profunda quietud en el pensamiento imagino; en los que, por poco, el corazón no se asusta.»
[60] «en todo tiempo, / tranquilo o convulso –con brisa, viento o tormenta,/ helado el polo, o en tórrido clima/ oscuro el cielo; –ilimitado, infinito y sublime– / la imagen de la eternidad...»

2.13. Introducción

En su clásico estudio del desarrollo del sentimiento de lo sublime sobre la naturaleza externa (Nicolson, 1959), Marjorie Hope Nicolson argumenta convincentemente que la diferencia principal entre las actitudes de los siglos diecisiete y dieciocho en Inglaterra, frente a la experiencia del paisaje y sus actitudes iniciales, fue debida al redescubrimiento de las teorías retóricas de Longino. Concretamente:

> El sobrecogimiento, compuesto de una mezcla de terror y júbilo, que una vez estuvieron reservados solamente para Dios, pasó en el siglo diecisiete en primer lugar a un cosmos expandido, después desde el macrocosmos a los mayores objetos del geocosmos –montañas, océanos, desierto (143).

En otras palabras, una emoción pensada como apropiada para Dios fue transferida a la inmensidad del espacio interestelar y, así, a los más vastos objetos terrestres conocidos. En concordancia, tales objetos, especialmente las montañas, fueron experimentadas como símbolos de eternidad e infinitud y al contemplarlos la mente ascendía desde las montañas a través de la inmensidad del espacio hasta la eternidad y el infinito «con sobrecogimiento y reverencia al poder de Dios, a la paz tranquila y serena que sobrepasa a todo entendimiento» (393).

La teoría de lo sublime en la naturaleza de Kant aborda algunos de los rasgos que previamente le habían sido asignados por sus predecesores, otros son reinterpretados, e introduce nuevas ideas: se trata de una especie de versión de «Estética del Infinito» secularizada y moralizada. A pesar de que se disocia lo sublime de Dios, mantiene un enlace con la moral y, de forma sin precedentes, refuerza de hecho la conexión con la noción de infinito. Más que pensar en la experiencia de lo sublime como un mero derivado de la experiencia de Dios, exige que la experiencia de lo sublime implique la idea de infinito: lo sublime es definido en términos de infinito. Asume la naturaleza dual atribuida a la emoción de lo sublime por el pensamiento inglés de los siglos diecisiete y dieciocho –con sus aspectos positivo y negativo–, pero ofrece una nueva interpretación de la naturaleza y la génesis de cada uno de estos aspectos.

Además, distingue dos formas de lo sublime, cada una corceniente a la inmensidad de la naturaleza, meramente como esa inmensidad aparece en la percepción, independientemente de cómo se conciba la naturaleza que posee; identifica la imaginación como la facultad de la experiencia de lo sublime en ambas formas, y ofrece una visión de la operación de la imaginación en su lucha por llegar a entender la pura inmensidad que la naturaleza presenta.

Propongo no discrepar con los dos rasgos de la visión de lo sublime en la naturaleza de Kant: en primer lugar, con su enlace de lo sublime con la idea de inmensidad y, en segundo, con su representación de la emoción de lo sublime consistente, como tal, en dos aspectos. Más que cuestionar si algo distinto a la inmensidad puede desencadenar apropiadamente la experiencia de lo sublime, y más que cuestionar si la emoción de lo sublime debe implicar a la vez los lados positivo y negativo, prefiero restringir la atención a la experiencia estética de la inmensidad y, dentro del grupo de posibles respuestas emocionales a la inmensidad, focalizar una respuesta distintiva de doble aspecto, que implica tanto placer como dolor. Asimismo, propongo dejar sin cuestionar la independencia de las dos formas de lo sublime en Kant, lo sublime matemático, que se ocupa de la inmensidad de la naturaleza en su extensión, y lo sublime dinámico, que se ocupa del inmenso poder de la naturaleza[61]. Incluso dentro de estos límites, creo que la teoría de Kant contiene un número de elementos equivocados, en particular la dependencia de lo sublime del infinito, la visión de la operación de la imaginación en la experiencia de lo sublime, y la caracterización o caracterizaciones del doble aspecto de la emoción de lo sublime.

2.14. La clasificación kantiana de los juicios estéticos puros de lo sublime

Para Kant, un juicio estético de lo sublime puro es un juicio singular categórico, que no está basado en un interés o en un concepto

---

[61] Para una visión contraria, véase Bradley (1909), donde asigna prioridad a la idea de fuerza, mientras la mera magnitud de extensión evoca lo sublime en virtud de ser («insensiblemente») interpretada como un signo de inmenso poder.

del objeto que lo causa y que se reclama a sí mismo como universalmente válido. En ese sentido se asemeja a un juicio de gusto puro. Pero la idea fundamental de Kant acerca de lo sublime en la naturaleza es que, a diferencia de lo bello, lo sublime no puede ser predicado apropiadamente de ningún objeto natural. Una de las razones por las que sostiene esto es que «sublime» es un término de aprobación, pero, en sí mismo, un objeto que provoca el sentimiento de lo sublime es experimentado como contra-finalidad para nosotros como sujetos encarnados, pareciendo inconmensurable con nuestras capacidades sensoriales y físicas y como si violara nuestra imaginación (al menos en una de las formas de lo sublime). Estrictamente hablando, tal objeto puede llamarse adecuado por inducir en nosotros el sentimiento de sublimidad, una vívida conciencia de un aspecto en el cual somos sublimes, un sentimiento de nuestra propia sublimidad como agentes racionales. Una diferencia mencionada entre lo bello y lo sublime es que mientras que la belleza natural mantiene al espíritu en contemplación relajada, lo sublime en la naturaleza estimula un «movimiento» o «agitación» en el espíritu. Por tanto, mientras que el sentimiento de nuestra propia sublimidad es placentero el movimiento de la mente provocado por lo sublime en la naturaleza debe ser de alguna manera «subjetivamente intencional» o respecto a nuestra facultad de conocimiento o respecto a nuestra facultad de desear —debe inducir placer en virtud de sus consecuencias con respecto a los elementos sensuales e intelectuales del conocimiento perceptivo (por un lado, la sensibilidad o la imaginación, por el otro, pensamiento o entendimiento) o respecto a nuestra capacidad de actuar racionalmente—. El primero da fuerza a lo sublime matemático; el segundo, a lo sublime dinámico[62]. Cada forma de lo

---

[62] Queda claro que a menudo Kant fuerza su material a entrar en un marco que naturalmente se ajusta a su visión de lo sublime matemático más que a la de lo dinámico —como indica su elucidación inicial de lo sublime en términos de infinitud a la que se añade el pensamiento de totalidad (*CJ*, 176), la cual se incorpora al análisis del juicio de, o placer en lo sublime con respecto a la así llamada «cantidad» de tales juicios—, aunque su determinación a enlazar la experiencia de lo sublime con la moral, como sostengo más tarde, permite distorsionar su visión de lo sublime matemático. En lo que sigue el texto intento seguir un curso que, por demasiado largas, ignora estas deformaciones y hace necesario que cierre los ojos a ciertas sutilezas del pensamiento de Kant.

sublime implica (i) una apreciación (o conciencia) de la inmensidad de la naturaleza, (ii) una operación de la imaginación, (iii) una inadecuación sentida de nuestro poder con respecto a la naturaleza y (iv) una superioridad compensatoria sobre la naturaleza. Sin embargo, difieren en el carácter de lo apreciado, la actividad de la imaginación, la inadecuación y la superioridad. Lo sublime matemático se ocupa de la apreciación de la magnitud de la naturaleza, lo sublime dinámico de una conciencia de la fuerza de la naturaleza; en lo sublime matemático la imaginación figura una apreciación «estética» de la magnitud, en lo sublime dinámico, una apreciación de la fuerza; mientras que la inadecuación experimentada en lo sublime matemático es incapacidad de la imaginación, en lo sublime dinámico lo es la resistencia física, y, finalmente, lo sublime matemático evoca un sentido de superioridad de una de nuestras facultades mentales (el pensamiento) sobre otra (la sensibilidad), pero lo sublime dinámico hace palpable nuestro estatus como agentes morales, un estatus de incomparable valor que es negado a la naturaleza. En cada caso, la vívida conciencia de una incapacidad manifiesta de enfrentarnos a la naturaleza, que es experimentada como dolor, es la ocasión para desarrollar una vívida conciencia de un aspecto de nosotros mismos que es superior a ningún otro aspecto de la naturaleza, y esto es experimentado como placer (aunque –al menos en lo sublime dinámico– un «placer negativo», de admiración y respeto).

2.15. Lo sublime matemático

Kant define lo sublime matemático como lo que es absolutamente grande o extenso, inmenso frente a toda comparación, esto es, en comparación con lo cual todo lo demás es pequeño. De ello se sigue que nada en la naturaleza que pueda ser dado en la percepción, nada que pueda ser objeto de los sentidos estará caracterizado apropiadamente como (matemáticamente) sublime.

La visión de Kant de lo sublime matemático está basada en una distinción entre dos formas de apreciación o juicio del tamaño de un objeto –una estética o una mera estimación matemática de la magnitud–. Ahora bien, para juzgar cómo de grande es algo necesitamos algo más en términos de lo cual lo mediremos, y esta unidad de medida tendrá ella misma una magnitud. La distinción entre las dos formas de juzgar el tamaño consiste en que una apreciación de la magnitud estética, pero no matemática, debe ser realizada por el ojo, sin la ayuda de instrumentos de medida, sobre la base de la apariencia del objeto en la mera intuición, lo cual requiere que la unidad de medida sea, ella misma, «estética», algo que pueda ser comprendido en una intuición. Kant afirma que toda apreciación de la magnitud de objetos naturales es, en último lugar, estética, y que mientras que no es posible una unidad de medida mayor para la estimación matemática de la magnitud, sí hay una medida mayor para la apreciación estética, a saber, la mayor que pueda captarse en una simple intuición. La verdad que se halla tras esta afirmación es un asunto menor y fácil de ver, pero la naturaleza y el estatus de la segunda, la cual juega un papel crucial en la visión de Kant, es elusiva.

Estimar el tamaño de un objeto es juzgar cuántas veces es mayor o menor que una cierta unidad de medida. Sin embargo, a menos que sepamos cómo de grande es esa unidad, conocer el tamaño de un objeto en términos de esa unidad no nos capacita a saber cómo de grande es el objeto —si es más grande o más pequeño que una montaña o una topera—. No se trata de que el conocimiento adicional requerido sea saber cuál es el tamaño de una unidad de medida, relativa a otra unidad de medida. Más bien, uno debe captar cómo es de grande una unidad de medida, en el sentido de ser capaz de aplicar esa unidad al tamaño de los objetos sobre la base de la percepción, es decir, demostrar cómo de grande es esa unidad indicando algún objeto en nuestro entorno que sea del mismo tamaño como unidad, fracción o múltiplo de ella. Tal capacidad es fundamental para entender cómo es algo de grande sobre la base de sus mediciones. Esto es lo que verdaderamente subyace a la afirmación de Kant de que toda estimación de la magnitud de objetos naturales es en última instancia estética.

Aunque no es nada explícito acerca de esto, por apreciación estética de la magnitud Kant quiere decir una apreciación, por el ojo, de cuántas veces más grande (o más pequeño) es el objeto percibido que una unidad de medida captada estéticamente. La afirmación de Kant de que hay una unidad de medida estética mayor está basada en su concepción de una magnitud extensiva. Para

Kant, una magnitud es extensiva si la representación de las partes hace posible, y por ello necesariamente precede, la representación del todo. Los objetos espaciales son magnitudes extensivas, y así pueden ser intuidos, solamente a través de síntesis sucesivas, de parte a parte (*CRP*, A162-3/B203-4). Para captar un *quantum* por medio de la intuición, de manera que seamos capaces de usarlo como unidad de medida para la apreciación de una magnitud, la imaginación debe enlazar (i) la aprehensión (de la variedad de la intuición) y (ii) la comprensión: debe representar sucesivamente las partes de la variedad dada y reunirlas en una intuición simple. La aprehensión puede ser llevada *ad infinitum*, pero la comprensión pronto alcanza su máximum, lo más que puede ser captado, retenido, reunido, en una intuición, rindiendo una impresión del todo, una impresión visual de la expansión entera aprehendida, una impresión visual que abarque la expansión completa. Alcanza este máximum porque se alcanza un punto en el cual cualquier avance en la aprehensión solo puede ser asegurado a expensas de una pérdida en la comprensión de lo que había sido previamente aprehendido, ya que esto desaparece de la imaginación (puesto que sale de ahí y se dirige al entendimiento, bajo cuyas reglas se subsume) (*CJ*, §26, 185): más allá de este punto, uno no tiene más la impresión del todo y pierde así sentido de la distancia que hay de un extremo al otro de la variedad. Y este máximo es estéticamente la mayor medida en la apreciación de la magnitud.

Podrá parecer algo natural entender esta concepción de la mayor unidad de medida estética como la idea de cierto tamaño (finito) más allá del cual la imaginación (la de una persona particular o de cualquier persona) no puede comprender el tamaño de algo en una intuición –tamaño máximamente comprensible–. Pero eso sería un error.

Consideremos, antes de nada, cómo cree Kant que la existencia de una unidad de medida máxima estética explica la observación de Savary en sus *Cartas sobre Egypto* de que para obtener el efecto emocional completo de las pirámides es necesario mirarlas ni desde muy lejos ni desde muy cerca (*CJ*, §26, 185). La razón que Kant adelanta es que, si fueran contempladas desde demasiado lejos, las partes que han de ser aprehendidas, las filas de piedras, estarían oscuramente representadas, y su representación no produciría efecto alguno sobre nuestro juicio estético; pero si las contemplásemos desde demasiado cerca, el tiempo que necesitaría el ojo para contemplar la aprehensión de base a vértice resultaría demasiado grande para que la comprensión fuera completa, esto es, para comprender el tamaño en una sola intuición. Kant no explica más allá y yo soy escéptico de lo que afirma acerca de la observación de Savary. Pero hay dos cosas claras. La primera, que Kant asume que la unidad de medida es la altura de una hilera de piedras. La oscura representación de la hilera de piedras consiste en que no resulta claro dónde están las divisiones (y por ello cuántas filas hay) o cómo son de grandes. Pero si la unidad de medida es la altura de la hilera de piedras, si no podemos ver dónde están las divisiones no podemos ver de cuántas unidades está compuesta la altura de una pirámide, y, si no podemos ver dónde están, tampoco podemos ver cómo es de grande esta unidad de medida. En concordancia, desde una distancia mucho mayor, no podríamos usar la altura de una hilera de piedras como medida estética de la altura de una pirámide. En segundo lugar, para apreciar estéticamente el tamaño de un objeto debe ser posible comprenderlo en una intuición simple, lo que, para una pirámide, resultará posible desde cierta distancia, pero no desde una posición tan cercana que haga necesario que la pirámide sea escaneada desde la base hasta la cima en un tiempo demasiado grande: apreciar la magnitud de un objeto estéticamente consiste en ser capaces de ver que está formado de tantas y tantas unidades de medida. En otras palabras, tal y como Kant entiende la idea, en una apreciación estética de la magnitud, el objeto cuya magnitud se aprecia debe ser comprendido a través de la síntesis de un número de sus partes igual en tamaño a la unidad de media (puesto que apreciaciones de otro tipo, por medio del recuento de aprehensiones progresivas, serían posibles, sin importar cómo de grande pueda ser el objeto).

Esto resalta un punto que Kant rechaza enfatizar en su visión de lo sublime matemático, pero que resulta de vital importancia, a saber, cuánto campo visual ocupa un objeto —y así cuánto puede ser aprehendido en una intuición simple— varía con su distancia del observador: cuanto mayor sea la distancia, menor será el espacio que ocupe, y no importa cuál sea la extensión de ese objeto ya que podrá ser acomodado al campo visual, si está lo suficientemente lejos (y emite o transmite suficiente luz). Esto implica que tener un sentido del tamaño de un objeto muy grande y distante, a causa de su inmensa distancia es, necesariamente, imaginar cómo sería de grande si lo viéramos desde más cerca. También implica, en primer lugar, que apreciar estéticamente el tamaño de un objeto está relacionado con la apreciación de su distancia y, en segundo lugar, que, dada la satisfacción de la condición concerniente a la luz, la magnitud de cualquier objeto, sea lo inmenso que sea, está en principio disponible como una unidad de medida estética. Pero cuánto de lejos queda algo de nosotros es algo que no siempre puede ser visto: su percepción es dependiente de varios factores distintos a la distancia, y estos no siempre están presentes. Y si no podemos ver qué lejos está un objeto (la luna o una estrella, por ejemplo), no podemos ver cómo es de grande o apreciar su tamaño relativo con respecto a otros objetos cuya distancia tampoco podemos ver. Esto afecta radicalmente a la adecuación de la idea de apreciación estética de la magnitud tal y como es usada por Kant en su visión de lo sublime matemático.

Así pues, la idea de Kant de que hay un máximo para la unidad de medida de una apreciación estética de la magnitud no es la idea de que haya, para cada ser humano, alguna medida más allá de la cual una unidad no pueda ser comprendida por la imaginación en una intuición sencilla. Más bien, es la idea de que si, en unas circunstancias dadas, la unidad de medida propuesta tarda demasiado en ser aprehendida, no puede ser utilizada en esa ocasión como unidad de medida en una apreciación estética de la magnitud. Asociado a ello está la idea de que, para cualquier unidad de medida dada, hay un tamaño máximo que la imaginación puede comprender usando esta unidad como medida; correlativamente, para que cualquier magnitud dada sea apreciada estéticamente, la unidad de medida en cuyos términos puede ser apreciada no puede ser demasiado pequeña. En concordancia, del mismo modo en que la magnitud a ser apreciada estéticamente se incrementa, así deberá hacerlo la unidad de medida. Se sigue que si la magnitud es infinitamente grande, un intento de estimación de la magnitud, estéticamente, debe acabar frustrado. Si, por tanto, la naturaleza nos mueve a relacionar una unidad de medida estética apropiada al infinito, estaremos comprometidos con una tarea imposible que, antes o después, mostrará la limitación de la imaginación y, así, nuestra capacidad de apreciar estéticamente la magnitud de las cosas del mundo. Es precisamente esto lo que induce la experiencia de lo sublime matemático –o así al menos lo afirma Kant. Esta interpretación nace, al menos en parte, de un pasaje, aunque incierto, revelador:

> Ejemplos del sublime matemático de la naturaleza en la mera intuición nos proporcionan todas aquellas cosas en que nos es dado para la imaginación, no tanto un mayor concepto de número como más bien una gran unidad de medida (para abreviar las series de números). Un árbol que apreciamos por medio de la altura de un hombre nos da, desde luego, una medida para un monte, y este, si tiene cosa como una milla de alto, puede servir de unidad para el número que expresa el diámetro terrestre, y hace este último intuible; el diámetro terrestre, para el sistema planetario conocido de nosotros, o este para el de la vía láctea; mas la inmensa multitud de semejantes sistemas de la vía láctea, bajo el nombre de nebulosas, las cuales, a su vez, forman entre sí un sistema semejante, no nos permite aquí esperar límite alguno. Ahora bien: lo sublime en el juicio estético de un todo tan inmenso está no tanto en lo grande del número como en este hecho, a saber: que llegamos siempre a unidades tanto mayores cuanto más adelantamos... (*CJ*, §26, 190).

Aquí Kant indica que cuanto más grande sea el objeto cuya magnitud apreciemos estéticamente, más grande debe ser la unidad de medida. Y, destacablemente, en este pasaje parece feliz con la idea de apreciación estética de la magnitud de una montaña a partir de la de un árbol, el diámetro de la tierra por medio de la altura de una montaña, el sistema solar completo por el diámetro de la tierra, el tamaño de nuestra galaxia por el del sistema solar, etc.[63] Ahora bien, más significativamente, habiendo comenzado por identificar ejemplos de lo matemáticamente sublime en la naturaleza, como casos en los cuales la imaginación debe usar una unidad grande como

---

[63] En *CJ*, §26, 187, sin embargo, Kant afirma que, aunque el diámetro de la Tierra puede ser aprehendido, no puede ser comprendido en una intuición sencilla. Presumiblemente está pensando en recorrer la distancias del diámetro terrestre: al hacerlo uno aprehendería su magnitud, pero no la comprendería.

medida en la apreciación estética de la magnitud, resulta que es la ilimitación o la aparente ilimitación del universo la que, así lo parece, es responsable de la experiencia de lo sublime. Puesto que solo en la apreciación estética de su magnitud, no en la apreciación estética del tamaño de un árbol, de una montaña o del diámetro de la Tierra o del sistema solar, la galaxia Vía Láctea o cualquier otro sistema que posea límites, no hay final al incremento de su tamaño de la unidad de medida que la imaginación debe relacionar. ¿Por qué y cómo está el infinito implicado –Kant despliega a la vez las ideas del infinito y de lo ilimitado– en la generación de la experiencia de lo sublime cuando somos confrontados por un objeto inmenso, pero no por la completa falta de límites del universo? Resulta difícil hacer plausible el sentido de la teoría de Kant. La línea fundamental de pensamiento recorre estas líneas: una apreciación estética de la magnitud envuelve la suerte de una cierta unidad de medida y una apreciación por la vista de la magnitud del objeto dado como un cierto múltiplo de esta unidad. Ahora bien, podemos hacer esto (bastante fácilmente) solo si se trata de múltiplos pequeños: la unidad de medida para la apreciación estética de la magnitud de un objeto no debe ser demasiado pequeña en relación con tal magnitud. De forma que, cuanto más grande sea el objeto, más grande será la unidad de medida requerida para apreciar su magnitud por medio de la vista. En otras palabras, la apreciación estética de la magnitud de objetos cada vez más grandes requiere de la comprensión de unidades de medida progresivamente mayores. Sin embargo, en la experiencia de lo sublime matemático somos conducidos a intentar hacer de la unidad de medida algo todavía mayor, más allá de la capacidad de la imaginación. Somos conducidos a intentarlo por medio de la razón, la cual demanda totalidad para toda magnitud dada: puesto que, en concordancia con la doctrina de la primera *Crítica*, si lo condicionado (del tipo que sea) es dado, una regresión en la serie de sus condiciones es fijada en nosotros como tarea[64]. Esta exigencia se aplica incluso para aquellas magnitudes que no pueden ser aprehendidas completamente, aunque en representaciones sensoriales sean juzgadas como dadas por completo. Y esta exigencia requiere la comprensión en

---

[64] Para la aplicación de este principio al espacio véase *CRP*, A412-13/B439-40.

una intuición, abarcando todos los miembros de series numéricas progresivamente crecientes, sin exceptuar el infinito (espacio y tiempo pasado)[65], que debemos contemplar como dado por completo. Pero el infinito es absolutamente grande –la definición inicial de Kant de lo sublime matemático[66]– y no puede ser pensado como un todo por medio del uso de un sentido estándar, una unidad de medida estética, puesto que esto requeriría de la comprensión en una intuición de una magnitud que es una proporción definida del infinito, una noción incoherente. Por tanto, la naturaleza es sublime en aquellos de sus fenómenos en los que, en su intuición, conviene la idea de su infinitud, lo que es así solo cuando el mayor de los esfuerzos de la imaginación es incapaz de apreciar la magnitud del objeto estéticamente, cuando la apreciación estética de la magnitud no puede ser alcanzada.

Esta línea de pensamiento (de la que he omitido ciertos detalles curiosos) resulta problemática en formas diversas, incluso en los términos de la propia filosofía de Kant. Una idea contenida en ella es que el infinito del espacio es completamente «dado», lo cual reclama la afirmación de la estética trascendental de la primera *Crítica* cuando dice que «el espacio está representado como una magnitud infinita dada», «puesto que todas las partes del espacio coexisten *ad infinitum*» (*CRP,* A25/B40). Kant no elabora esta idea,

---

[65] Aunque la definición de lo sublime matemático de Kant como lo que es absolutamente grande se aplica tanto al tiempo pasado como al espacio, y aunque la magnitud del tiempo pasado es justamente tan adecuada causa de la experiencia de lo sublime como la magnitud del espacio, no sería fácil de aplicar o adoptar la concepción de lo matemático sublime de Kant con su énfasis en la insuficiencia de un estándar sensorial para la estimación estética de la magnitud, que está diseñada para capturar la experiencia de lo sublime con respecto al espacio, cubrir la experiencia de lo sublime evocada por una vívida conciencia de la inmensidad del tiempo pasado. Un problema de extender cualquier concepción de lo sublime al tiempo pasado surge del hecho de que si la apreciación de la sublimidad del tiempo pasado es propiamente pensada como estética, parece que no debería estar basada en la mera idea de la inmensidad del tiempo pasado, sino en la experiencia del paso del tiempo.

[66] Si lo sublime matemáticamente es lo infinitamente grande, solamente el universo como un todo (esto es, la completitud del espacio tal y como es pensado por Kant) lo cualifica –y esto es algo que no puede ser visto, y su magnitud, por tanto, no es susceptible de estimación estética.

pero para que resulte relevante a lo sublime matemático no debe referirse a la divisibilidad infinita del espacio, sino, tal y como yo lo tomo, a su extensión infinita. La visión de Kant en su primera *Crítica* es que, aunque el espacio (cuya geometría es euclídea) es infinito, el mundo, cuya magnitud no nos es dada en una intuición, no puede ser llamado finito o infinito en extensión (*CRP*, A523-B551-3; A519-20/B547-8). Dejando esto a un lado, sin embargo, y concediendo a Kant que en nuestro entendimiento de la naturaleza estamos sujetos a la exigencia de un regreso *in infinitum* o, si no *in infinitum*, sí al menos *in indefinitum* (*CRP*, A512-13/B540-1), no hay ninguna buena razón por la que esta exigencia deba aplicarse a la apreciación estética de la magnitud, cuya idea es esencial a la comprensión de lo sublime matemático de Kant. Incluso si, como sostiene la primera crítica, en el entendimiento de la naturaleza estoy forzado a buscar siempre las condiciones de lo dado condicionado, y así a buscar la «totalidad absoluta» y lo incondicionado («concebido como conteniendo un fundamento de la síntesis de lo condicionado») (*CRP*, A321-4/B377-80, A409/B436), este es un requerimiento solo acerca de cómo debo pensar sobre la naturaleza. En concordancia, yo no puedo pensar en el espacio como teniendo límites o en el mundo como poseyendo límites en el espacio. Pero la cuestión a la que Kant no da un respuesta satisfactoria es esta: dado que me atañe el formar una apreciación estética de la magnitud de un objeto que tengo ante mí, ¿por qué debería imponerme su inmenso tamaño el requerimiento de intentar apreciar estéticamente, no su propia magnitud, sino una magnitud infinita, tarea que requiere una unidad de medida estética imposible y que, por ello, viola la imaginación? Además, no hay objeto alguno que pueda ser dado a la intuición y que convenga a la idea de su propia infinitud (más que lo ilimitado del espacio), y ningún objeto, no importa lo grande que pueda ser, puede parecer ser ilimitado, y Kant parece sostener (aunque esto pueda ser una aberración) no que hay objetos naturales cuya magnitud no puede ser apreciada estéticamente, sino que la magnitud de cualquier objeto particular puede ser apreciada estéticamente siempre que el objeto transmita suficiente luz al ojo para ser visto y pueda ser comparado en tamaño con un objeto de menor magnitud. Bien podría ser que, algunas veces, la magnitud de un objeto conduzca a un observador a pensar en la ilimitud del espacio. Pero cuando esto sucede, sería altamente inusual para un observador –incluso para uno con el nivel de desarrollo cultural que Kant toma como necesario para estar en disposición de experimentar el sentimiento de lo sublime (*CJ*, §29, 201)– comprometerse en la fútil tarea de intentar apreciar estéticamente la extensión del espacio, y esto no es algo que se le pueda razonablemente pedir a ningún observador.

Un giro adicional a la línea de pensamiento que he esbozado hace que la posición de Kant resulte incluso menos convincente: puesto que Kant mantiene que nuestra habilidad para pensar el infinito, dado como *un todo* –la habilidad de comprender el infinito en el mundo de los sentidos completamente bajo un concepto–, no es posible por medio de un estándar de los sentidos (una unidad estética de medida), es posible, solamente, porque poseemos una facultad o capacidad suprasensible con su idea de noúmeno como sustrato que subyace al mundo fenoménico. Kant inmediatamente equipara esta capacidad con «la facultad de ser capaz de pensar el infinito de la intuición suprasensible como dado (en su sustrato inteligible)» (*CJ*, 188)[67], capacidad que es grande más allá de toda comparación, esto es, absolutamente grande, como una expansión de la mente que, desde el punto de vista práctico, se siente capaz de traspasar las fronteras de la sensibilidad. En concordancia, la sublimidad afecta solamente a la base suprasensible de la naturaleza humana, la aprehensión de un fenómeno natural sirve solo como ocasión adecuada para hacerse consciente de esta base (*CJ*, 199). Al menos aquí, si no antes, resulta claro que la definición inicial de lo sublime matemático de Kant como lo absolutamente grande, que necesita de la introducción de la idea de infinitud en la visión de Kant, y la cual fue ideada para asegurar la concepción moralizante de lo sublime que Kant apoyaba, condujo a distorsiones (y oscuridades) en la elucidación de Kant de lo sublime matemático en términos de la apreciación estética de la magnitud. Estas distorsiones marcan el comienzo del infinito como algo que, aunque dado a nosotros en nuestra experiencia espacial, no puede ser apreciado estéticamente, pero

---

[67] El concepto de infinitud parece aplicarse aquí equivocadamente al substrato nouménico del mundo fenoménico.

puede ser pensado como un todo. Puede ser pensado como un todo, como una totalidad absoluta[68], como incondicionada, sin embargo, solo al concebir el mundo sensible de las apariencias como algo dependiente de su base inteligible, el mundo tal y como es en sí mismo, haciendo así manifiesta nuestra posesión de un poder mental superior a la sensibilidad, en el que se revela nuestro estatus como *causa noúmeno*, la sentida conciencia de nuestro valor supremo como agentes morales nos atraviesa con una profunda emoción[69].

2.16. Lo sublime dinámico

La visión de Kant de lo sublime dinámico es, aparentemente, mucho más sencilla. Él define lo sublime dinámico en la naturaleza –que se muestra en el poder de un huracán, un maremoto, la erupción de un volcán, un relámpago, el océano tumultuoso, la alta catarata de un río imponente, por ejemplo– como una fuerza (un poder que es superior a los grandes obstáculos), pero que no es considerada superior a uno mismo. De hecho, esta definición necesita ser entendida de manera relativa, puesto que Kant distingue dos fuerzas de resistencia que cada uno de nosotros posee, y lo sublime dinámico deber ser capaz de prevalecer ante una de ellas (sin importar cuánto nos resistamos), siendo así superior, pero incapaz de superar a la otra (a menos que nosotros lo permitamos), y ser así inferior. La primera es nuestro poder físico, raquítico en comparación con el poder de ciertos fenómenos naturales, cuya fuerza es tal como para abrumarnos y destruirnos: frente a semejante poder estaríamos indefensos. Así, con respecto a la fuerza física, la naturaleza es abrumadoramente superior a nosotros. La segunda es la capacidad de no abandonar nuestros

---

[68] Esto recoge la primera diferencia entre lo bello y lo sublime que Kant identifica en su discusión inicial de lo sublime: mientras que lo bello, centrado en la forma de un objeto, se ocupa de lo que está limitado, lo sublime se ocupa de lo ilimitado –ilimitud a la cual se añade la idea de su totalidad (*CJ*, §23, 176).

[69] En la extravagante formulación de Kant: «la emoción que nos invade con la mera idea de lo sublime» (Kant, 1974: 33).

principios morales y nuestro compromiso con la moral, incluso bajo la mayor de las presiones. Con respecto a esto, la naturaleza no ejerce ningún dominio sobre nosotros, puesto que somos capaces de contemplar todos los bienes mundanos, nuestra salud, e incluso nuestra vida como menos valiosos que el hecho de ser personas moralmente buenas, personas de buena voluntad, es decir, es pequeña en comparación con lo moralmente valioso. Puesto que aspiramos a ser moralmente buenos, como personas o agentes morales, debemos considerarnos superiores a la naturaleza. En resumen, estamos sujetos al poder de la naturaleza con respecto a nuestra autopreservación como seres físicos (seres «naturales»), pero no como seres morales porque, en la medida en que somos personas, debemos contemplar todos los bienes físicos, incluida nuestra vida, como algo sin consecuencias en comparación con nuestra posesión de una voluntad buena.

Juzgar a la naturaleza como sublime dinámicamente debe ser pensado como algo cuyo poder seríamos físicamente incapaces de resistir y tan temible como un objeto al que temer. Sin embargo, en el momento en que realizamos tal juicio no debemos, en realidad, estar preocupados o sentir temor ante lo que juzgamos como sublime: de hecho, debemos considerarnos a salvo de ese poder, de forma que no hay razón para tener miedo. Pero estas no son las únicas condiciones que Kant impone sobre el juicio de lo sublime dinámico. Aunque hay un requerimiento adicional, y resulta claro que este debe implicar a la imaginación, resulta incierto qué puede ser.

Puede dejarse a un lado la idea de que debemos imaginarnos a nosotros mismos capaces moralmente de resistir el poder de los fenómenos naturales (aunque físicamente nos abrumen). De hecho, esto no tiene sentido. Es cierto que podemos imaginar una situación en la cual la única forma de preservarnos de tales fuerzas sea sacrificando nuestro valor moral, dándonos cuenta de que no estamos preparados, abandonando nuestro compromiso con lo moralmente bueno de cara a salvar nuestra vida. Pero aunque Kant defiende que nada debe hacernos sacrificar nuestro valor moral por ninguna otra cosa que valoremos, y que juzgamos a la naturaleza estéticamente como dinámicamente sublime porque nos induce a tomar conciencia de que no nos doblegaríamos ante el poder de la naturaleza, o no tendríamos que doblegarnos si nuestros más altos principios estuvieran en juego y tuviéramos que elegir entre mantenerlos o abandonarlos (*CJ*, §28, 196), no requiere que nos imaginemos en esa situación permaneciendo fieles a los requerimientos de la moral a pesar de las consecuencias de hacerlo.

La forma más simple de introducir a la imaginación en la experiencia de lo sublime dinámico de la naturaleza sería requerir que no viéramos solamente los fenómenos naturales como extraordinariamente poderosos, tan poderosos que sobrecogen cualquier intento de resistencia patéticamente inadecuado que pudiéramos levantar contra su poder, sino que imaginemos su poder –imaginemos su grado de poder o cómo es de poderoso–. Esta idea de imaginar el poder de un fenómeno natural podría ser entendida de diferentes formas, pero una posibilidad es interpretar que Kant pretende que la tarea de la imaginación en lo sublime matemático sea tomada como guía de su rol en lo sublime dinámico. Esto significaría que su tarea en lo sublime dinámico sería imaginar una unidad de poder o de fuerza adecuada para apreciar estéticamente el poder de las tremendas fuerzas de la naturaleza.

Ahora bien, aunque Kant escribe en varios lugares como si esto fuera lo que tiene en mente[70], no aclara la experiencia de lo sublime dinámico de forma vinculada con la intención de apreciar, sin instrumentos de medida, qué poderoso es un fenómeno natural dado, y no hay ninguna indicación de qué pueda ser la naturaleza de tal proceso de apreciación. Ahora, no sería un problema insuperable atribuir a Kant la idea de que al ser impresionados por el poder de la naturaleza nos formamos una apreciación estética de su

---

[70] Kant asimila el trabajo de la imaginación en la experiencia de lo sublime dinámico a la de su fútil tarea en la experiencia de lo sublime matemático en estos dos pasajes: «Pero cuando nosotros ampliamos nuestra facultad de representación empírica (matemática o dinámica) para la intuición de la naturaleza, viene inevitablemente, además, la razón, como facultad de la independencia de la absoluta totalidad, y produce el esfuerzo del espíritu, aunque este sea vano, para hacer la representación de los sentidos adecuada con aquella.» «Esa idea, empero, de lo suprasensible, que nosotros no podemos determinar más, y, por tanto, con cuya exposición no podemos *conocer* la naturaleza, sino solo *pensarla*, es despertada en nosotros mediante un objeto cuyo juicio estético pone en tensión la imaginación hasta sus límites, sea de extensión (matemáticos), sea de fuerza sobre el espíritu (dinámicos)» (*CJ*, 204).

poder, si esto significa una apreciación basada sobre una observación de su apariencia, sin ayuda; puesto que cuando encontramos algún fenómeno natural sorprendentemente poderoso, a menudo nos formamos una impresión, una cierta apreciación de la magnitud de su poder, meramente sobre la base de su visión (y también, a menudo, de su sonido). Por supuesto, si intentásemos formar una apreciación precisa, indudablemente erraríamos. Sin embargo, el hecho no es que intentemos formar tal apreciación solamente para ser vencida, sino que ni siquiera lo intentamos; dado que en la experiencia de lo sublime dinámico solamente nos concierne que el fenómeno natural es inmensamente más poderoso de lo que nosotros somos y no cuánto más poderoso es él frente a nosotros. Además, no queda claro en qué sentido la base de tal apreciación pudiera ser una unidad de medida, comprendida por la imaginación, tal y como Kant requiere. Del mismo modo, si fuera intención de Kant que su posición de lo sublime matemático y de lo sublime dinámico debieran ser unidas de esta forma, sería todavía más difícil realizar una introducción plausible del infinito en la apreciación de lo sublime dinámico de lo que lo es en lo sublime matemático. Puesto que Kant necesitaría que la infinitud del poder de la naturaleza nos fuera dada en nuestra experiencia de la naturaleza, tal y como él concibe la infinitud como dada en nuestra experiencia de una magnitud espacial. Finalmente, Kant no necesita introducir a la imaginación en la experiencia de lo dinámicamente sublime en la forma sugerida –como intento de comprender una unidad de medida adecuada para la apreciación estética de las fuerzas de la naturaleza– de cara a asegurar una conexión con la moral, dado que esta conexión ha sido ya efectuada de forma mucho más sencilla.

Otra posibilidad indirecta en que puede discernirse el texto de Kant (*CJ*, 205), es que además de pensar en algunos fenómenos naturales como cosas cuyo poder seríamos incapaces de resistir, y por ello igualmente temibles, debemos imaginarnos a nosotros mismos teniendo miedo. Si esta fuera la intención de Kant, quizá la idea sería que nos imaginásemos el poder irresistible del fenómeno al imaginarnos cómo sería estar aterrorizados por, incluso sujetos a su inmenso poder y de esa forma imaginarnos en un estado de temor, experimentando, no realmente temor de la naturaleza, sino en la

111

imaginación. En concordancia, si Kant pensara en la experiencia imaginativa del miedo como teniendo el mismo signo hedónico que la experiencia real, la imaginación figuraría en la experiencia de lo dinámicamente sublime en una forma que afectaría adversamente nuestro estado de bienestar, si bien es cierto que solo por breve espacio de tiempo. Y Kant ciertamente necesita algo de este tipo si quiere mantener la veracidad de su idea de que el sentimiento de lo sublime es un placer que aflora solo indirectamente, de «una inhibición momentánea de las fuerzas vitales» (*CJ*, §23, 176).

Ahora bien, como he indicado, hay escaso apoyo textual para esta sugerencia, si es que hay alguno, y en cualquier caso haría del rol jugado por la imaginación en la generación de la experiencia de lo dinámicamente sublime algo menos significativo que el del rol en la experiencia de lo sublime matemático. Mientras que en la experiencia de lo sublime matemático la lucha fútil de la imaginación por abarcar una unidad de medida adecuada para la apreciación estética de la magnitud de la naturaleza está íntimamente relacionada con el fruto positivo de la experiencia, el sentimiento de nuestra posesión de una facultad superior, un sentimiento que está disponible para nosotros, afirma Kant (*CJ*, §27, 191), solo a través de la experiencia precedente de la inadecuación de la imaginación, la imaginación serviría en la experiencia de lo sublime dinámico solamente para dotar a la experiencia del elemento de dolor (un escalofrío de aflicción experimentado imaginativamente) reclamado por el doble aspecto de la concepción de Kant de la experiencia de lo sublime.

2.17. El doble aspecto de la emoción de lo sublime

¿Exactamente, cómo dice Kant que es el sentimiento de lo sublime frente a la naturaleza? Él lo concibe como una emoción de fenomenología compleja, que posee a la vez una doble reacción hedónica y un contenido cognitivo doble, siendo las dos reacciones hedónicas de signo opuesto, conduciendo la negativa a la positiva e implicando, la primera, repulsión del objeto percibido; la segunda, atracción hacia él. Para Kant, una emoción es un sentimiento en el que el placer es traído solo por medio de una revisión momentánea de las fuerzas vitales en el interior del cuerpo, seguido de un desahogo más fuerte de ellas (*CJ*, §14, 154). El mantenimiento de las fuerzas vitales ocasiona un sentimiento de bienestar, su obstrucción, lo contrario. El componente negativo del sentimiento de lo sublime es una conciencia desagradable de la inadecuación de nuestra facultad sensorial a la comprensión perceptiva de la inmensidad de la naturaleza –nuestra incapacidad de construir una unidad estética de medida adecuada, una que pueda ser tomada en una intuición y sea adecuada para una apreciación del infinito– o la inadecuación de nuestra fuerza física para resistir la inmensa fuerza de un objeto o fenómeno natural. El sentimiento de esta inadecuación, que resulta angustiante, es forzado sobre nosotros por la confrontación con un fenómeno natural apropiado. El componente positivo es un sentimiento de elevación al juzgar nuestro propio valor, el sentimiento de nuestra supremacía sobre el mundo natural, la conciencia compensatoria de que, en comparación con cualquier cosa del mundo sensible, sea lo grande que sea, incluso la totalidad del mundo sensible, y a pesar de nuestra vulnerabilidad física ante el poder de los fenómenos naturales, «la vocación racional de nuestras facultades cognitivas» (*CJ*, §27, 191) y la presencia en nosotros de la ley moral que exige lealtad a pesar de todo obstáculo de la sensibilidad, nos dota de una importancia, un valor, infinitamente superior al de la naturaleza[71].

[71] Kant pretende caracterizar el sentimiento de lo sublime de forma unitaria en términos de la imaginación de la siguiente forma (*CJ*,172): en su uso empírico, la imaginación hace depender nuestro sentimiento de bienestar de nuestro estado físico, sobre la base de lo que la naturaleza es en nosotros, y así igualmente dependiente de lo que esta es fuera de nosotros. Pero la imaginación también es un intrumento de razón y, como tal, permite que nos contemplemos como siendo independientes y superiores a la naturaleza. En la experiencia de lo sublime, la imaginación, en su primer rol, se siente sacrificada (a la razón), de manera que se da una inhibición momentánea de nuestro sentimiento de bienestar, con la consecuente repulsión del objeto; pero, en su segundo rol, resulta sobradamente compensada, al recibir una extensión mayor que la que había sido sacrificada, de manera que la inhibición viene inmediatamente seguida por un poderoso sentimiento de bienestar, en mayor grado gracias a la momentánea resistencia previa, con la consecuente atracción por el objeto. Ciertas partes de esta caracterización aparecen mejor adecuadas a la concepción de lo sublime matemático más que a lo sublime dinámico en Kant, mientras que otras lo hacen al contrario.

Ahora bien, los dos componentes de la caracterización del sentimiento de lo sublime en la naturaleza de Kant son desiguales en mérito. Si reconocemos la restricción de Kant a los juicios estéticos puros de lo sublime en la naturaleza, que se ocupan solamente de la mera magnitud o fuerza, y estamos de acuerdo en que se da una experiencia distintiva, de doble aspecto, asociada a tal juicio, un elemento de la caracterización de Kant es, creo, hasta cierto punto plausible, pero el otro está fuera de marco.

La idea plausible, si no en la forma precisa que Kant perfila, es la de nuestra dolorosa afectación por la inmensidad de aquello a lo que nos enfrentamos –por la imponente magnitud o poder de la naturaleza (o ambos)– cuando nos hacemos conscientes imaginativamente de su extensión o fuerza. Pero, primero, más que identificar el dolor en la experiencia de lo sublime matemático, aflorando del movimiento infructuoso de la imaginación para presentar una unidad de medida apropiada para una apreciación estética de la magnitud sin límite de la naturaleza, parecería más cercano a la verdad el verla como un efecto sobre, un choque para, nuestra preservación y autoestima cotidiana traída por medio de una vívida conciencia de nuestra relativa insignificancia dentro del inmenso orden de la naturaleza[72]. De hecho, en contra de la teoría de Kant, la idea de una apreciación estética de la magnitud no figura en absoluto en el análisis de la experiencia de lo sublime matemático, que surge desde la pura inmensidad de algunos elementos de la naturaleza relativos a nuestro propio tamaño, más que de ningún intento de apreciar exacta o aproximadamente qué grande es ese elemento –cuánto mayor que nosotros, por ejemplo– o cómo es de grande el espacio o el universo. Aunque es verdad que, en general, carecemos de un sentido de inmensas distancias, un sentido de cómo son de grandes, que se manifiesta en nuestra incapacidad

---

[72] Como el mismo Kant reconoce en varios lugares: «La... visión de una multitud infinita de mundos aniquila, por así decir, mi importancia como criatura animal, que debe devolver al planeta (como mero punto en el universo) la materia de la que proviene, materia provista por poco tiempo de fuerza vital, sin que sepamos cómo» (Kant, 1993: 169). Creo que la conciencia de este aspecto de la experiencia de lo sublime matemático de Kant puede reconocerse también en su caracterización de la demanda excesiva hecha sobre la imaginación «como un abismo en el cual (la conciencia) teme perderse» (*CJ*, 192).

de imaginárnoslas, de formar una imagen o sucesión de imágenes adecuadas de ellas, la teoría de Kant no puede derivar ayuda alguna de este hecho, puesto que su teoría está basada en la idea de un intento fallido, mientras que lo cierto es que no tiene lugar intento alguno. Y, en segundo lugar, aunque Kant parece no identificar el tipo exacto de este dolor en la experiencia de lo sublime dinámico, sería plausible identificarlo como surgido de una elevación del sentido de nuestra vulnerabilidad frente al poder de la naturaleza cuando estamos frente a ella y nos imaginamos sometidos a ella. En ambos casos, por tanto, el sentido de nuestro estar en el mundo, que tiende a informar la manera en la cual vivimos nuestra vida, está trastocado. Vivimos nuestras vidas de la única forma en que una vida puede ser vivida —desde el punto de vista de la primera persona, con horizontes limitados y seguridad relativa del entorno natural—. Pero la confrontación segura con las todopoderosas fuerzas de la naturaleza es propicia para el sentimiento de nuestra inadecuación para soportarlos y la presencia de la inmensidad de la naturaleza es responsable de inducir una vívida conciencia de nuestra pequeña y desvaneciente importancia en el amplio universo. En concordancia, el sentido normal de nuestro estar en el mundo puede ser interrumpido, tanto por este sentimiento de vulnerabilidad aguda frente a la naturaleza como por la conciencia de que nuestro lugar en la naturaleza apenas dura un minuto, en ambos casos con un efecto perturbador sobre nuestras emociones[73].

El otro elemento de la visión de Kant —la identificación del placer en lo sublime como placer en la conciencia sentida de nuestra superioridad sobre la naturaleza— no parece ser más que un producto de su empedernida tendencia a evaluarlo todo en referencia al valor moral o a hacer vívido el estatus supremo de la moral —tendencia que le condujo a moralizar, de un modo u otro, cualquier experiencia que valorara—. Por supuesto, no hay razón alguna para

---

[73] Esto recuerda, por supuesto, la teoría de la experiencia estética de Schopenhauer (Schopenhauer, 1966: i. §39). De hecho su impresionante visión del sentimiento de lo sublime es, creo, estropeado solamente por la intrusión de su doctrina de que «el mundo es mi representación» y las concepciones que conlleva —una importante intrusión, puesto que es la fundamentación de su explicación del carácter positivo y exaltatorio de la experiencia.

considerar que Kant estaba equivocado acerca de la naturaleza del aspecto positivo de su propia emoción de lo sublime. Por el contrario, su reverencia hacia la moral le habría conducido a introducir en su propia experiencia de grandes tamaños o fuerzas naturales, precisamente, el carácter que su teoría atribuye al aspecto placentero de la experiencia de lo sublime, incapacitándolo así a leer este carácter fuera de su propia experiencia como constitutivo del aspecto positivo de la experiencia de lo sublime en general. Pero, lo que creo fue indudablemente un rasgo de la propia experiencia de Kant, muy probablemente esté ausente de la experiencia de muchos, si no de la mayoría, de nosotros.

Si, sin embargo, el vigoroso y placentero efecto de la experiencia de la enormidad y del sobrecogedor poder de lo sublime no fuera captado por la interpretación moralizante de Kant, ¿qué lo explicaría? Si las caracterizaciones que he ofrecido del elemento negativo, devaluador, están bien definidas, la sugestión natural que produce una unificación de la experiencia de lo sublime deseable es la de que el componente positivo también es una función del trastorno de nuestro sentido ordinario del mismo, el repentino choque de un cambio de visión. Con el repentino desaparecer de nuestro sentido cotidiano de la importancia de nuestro yo y de sus numerosas ocupaciones y proyectos al estar confrontados a una magnitud o poder de la naturaleza, o de nuestro sentido habitual de la seguridad de nuestro cuerpo frente a fuerzas naturales exteriores, la elevada conciencia de nuestra manifiesta vulnerabilidad e insignificancia en el mundo natural impide nuestra orientación normal, en la experiencia de lo sublime la desaparición de nuestra preocupación por el yo es, después del shock inicial, experimentada con placer. Y concebir los elementos negativos y positivos como pertenecientes a la misma raíz posee la ventaja de facilitar una explicación de un rasgo ulterior de la visión de Kant, puesto que Kant concibe el sentimiento de lo sublime frente a la naturaleza no solo como una emoción con dos aspectos, sino como una en la que hay un movimiento atrás y adelante entre esos dos aspectos, una oscilación entre la repulsión y la atracción hacia el objeto[74]. Esto es precisamente lo

[74] En *CJ*, 192, Kant dice que el movimiento de la mente, *especialmente en su inicio,* se puede comparar con una vibración. [En la traducción española, *conmoción.*]

que sería de esperar que ocurriera en cualquier observación prolongada de una magnitud o poder natural aterrador, si la experiencia de lo sublime responde a la caracterización que he ofrecido[75]. De hecho, el mismo Kant oscila entre dos caracterizaciones de la relación entre los aspectos hedónicos positivo y negativo de la emoción, una que los representa como experimentados simultáneamente (*CJ*, 192), la otra sucediéndose uno a otro (*CJ*, 176, 193). Estas caracterizaciones podrían reconciliarse si construyéramos el «movimiento» de uno a otro aspecto, no como la sustitución de uno por otro, sino como un cambio en la prominencia o importancia de los aspectos: ninguno desparece; más bien ocupan por turnos el primer plano de la conciencia, uno retrocede, cuando el otro avanza. Sea o no deseable tal reconciliación, la frecuencia de la necesidad de regreso al lado negativo, de cara a continuar experimentando el lado positivo, varía según la persona, pues la conciencia, vívida o subliminal, de nuestra insignificancia cósmica y nuestra vulnerabilidad ante fuerzas naturales despliega roles diferentes en las vidas de la gente, y diferimos en habilidad y preparación para hacernos conscientes imaginativamente de este hecho[76].

[75] Mi caracterización no intenta capturar la experiencia estética evocada por ciertos objetos supuestamente paradigmáticos de la experiencia de lo sublime, como son las montañas. Puesto que no existe algo así: todos esos objetos ofrecen una variedad de experiencias estéticas, la mayoría de las cuales carecen de la emoción peculiar de doble aspecto que me interesa. (Para consultar una breve historia de respuestas estéticas ante montañas, véase Tuan, 1990: 70-4.)
[76] La caracterización de lo sublime de Kant en otros lugares es de poca ayuda: «Lo sublime (*sublime*) es la grandeza que suscita respeto (*magnitudo reverenda*) por su extensión o por su grado; la aproximación a lo sublime (para adecuarse a ello en la medida de las propias fuerzas) es atractiva, mas el temor de desaparecer ante la propia estimación al compararse con ello es, al mismo tiempo, intimidante (por ejemplo, el trueno sobre nuestra cabeza o una montaña alta y salvaje): entonces, y si se está seguro, con la concentración de las propias fuerzas para aprehender el espectáculo, y la inquietud de no poder alcanzar su grandeza, se suscita el *asombro* (un sentimiento agradable por la continua superación del dolor).» (Kant, *Antropología*, Madrid, 2004, Alianza Editorial, §68, p. 171). (Compárese: «La estupefacción, que confina con el miedo, el terror y el temblor sagrado que se apoderan del espectador al contemplar masas montañosas que escalan al cielo, abismos profundos donde se precipitan furiosas las aguas, desiertos sombríos que invitan a tristes reflexiones, etc., no es, sabiéndose, como se sabe, que se está en lugar seguro, temor verdadero...» (*CJ*, 205).

2.18. *La pureza de los juicios estéticos de lo sublime*

Finalmente, hay un problema con la visión de Kant de los juicios estéticos puros, de la sublimidad de los objetos naturales, que proviene de la rigurosidad de su exigencia de pureza. Los juicios acerca de la sublimidad de los objetos naturales (o, más bien, su adecuabilidad para inducir un sentimiento de sublimidad en la humanidad), si pretenden ser juicios estéticos puros, no deben estar basados en conceptos, en conceptos particulares de las finalidades de los objetos naturales, finalidades que tienen en la naturaleza (o finalidades que les pueden ser atribuidas). Kant representa un juicio estético puro de lo sublime en la naturaleza como un juicio ocasionado por lo ilimitado, la inmensidad, de la materia, en su extensión (lo matemáticamente sublime), o de fuerza (lo dinámicamente sublime), cómo esta materia aparece en la percepción (independientemente de cómo sea conceptualizada). Un juicio estético puro acerca de lo sublime matemático debe considerar la naturaleza meramente como magnitud y uno acerca de lo sublime dinámico debe considerar la naturaleza meramente como fuerza; en ambos casos, el juicio descansa solamente en cómo la naturaleza se manifiesta inmediatamente a sí misma al ojo (humano). En otras palabras, los juicios estéticos puros acerca de la sublimidad de la naturaleza deben estar basados en el carácter intrínseco de un objeto natural o de la intuición sensible de un fenómeno o imagen —como la imaginación, no el entendimiento, lo presenta: en terminología de Kant, como es presentado en la representación por la cual es dado, no por la cual es pensado—. Por consiguiente:

> Así, cuando se llama sublime el espectáculo del cielo estrellado, no se debe poner a la base del juicio del mismo conceptos de mundos habitados por seres racionales, ni considerar esos puntos luminosos con que vemos lleno el espacio en derredor nuestro como sus soles, moviéndose en círculos arreglados para ellos de un modo muy conforme a fin, sino tal como se le ve, como una amplia bóveda que todo lo envuelve, y solo en esta representación debemos poner la sublimidad que un juicio estético atribuye a su objeto. De igual modo, el espectáculo del océano no hay que considerarlo tal como lo pensamos nosotros, provistos de toda clase de conocimientos (que, sin embargo, no están encerrados en la intuición in-

mediata), como una especie de amplio reino de criaturas acuáticas, o como el gran depósito de agua para las evaporaciones que llenan el aire de nubes para las tierras, o también como un elemento que, si bien separa unas de otras partes del mundo, sin embargo, hace posible entre ellas las mayores relaciones, pues todo eso proporciona no más que juicios teleológicos, sino que hay que poder encontrar sublime el Océano solamente, como lo hacen los poetas, según lo que la apariencia visual muestra; por ejemplo, si se le considera en calma, como un claro espejo de agua, limitado tan solo por el cielo, pero si en movimiento, como un abismo que amenaza tragarlo todo» (*CJ*, 206)[77].

Aquí Kant juzga correctamente diversos pensamientos acerca de objetos adecuados a un juicio de sublimidad como irrelevantes para ese juicio. Pero cuando miramos a las estrellas, ¿cómo nos son dadas? ¿Cómo se presentan inmediatamente a la intuición? Ciertamente, no como soles distantes. Entonces, ¿apenas como puntos de luz? O, ¿quizá como objetos distantes emisores de luz de cierto tipo? Parece claro que solamente la segunda alternativa es adecuada a la experiencia de lo sublime, pero esta concepción de lo que nos es dado en la percepción del cielo estrellado nocturno, salpicado de estrellas, no está permitida por la restricción de Kant de un juicio estético puro acerca de lo sublime en la naturaleza para el carácter de la intuición sensible del sujeto. La categoría de Kant de lo sublime matemático se ocupa de la magnitud espacial[78]. Pero ni el tamaño ni la distancia de las estrellas puede ser observado: las estrellas se presentan en el campo visual como

[77] De hecho, Kant introduce este pasaje (de la «Nota general a la exposición de los juicios estéticos reflexionantes») al afirmar que, puesto que su preocupación en este momento de la argumentación se ocupa solamente de juicios estéticos puros, no se deben elegir ejemplos de objetos sublimes de la naturaleza que presupongan el concepto de una finalidad. Pero como es evidente en el pasaje, y como es requerido por su concepción más fuerte de juicio estético puro, su restricción es más severa que esto.

[78] La pura magnitud del número de motas de luz visibles en el cielo de una noche clara no es la cuestión (como demuestra el número de granos de arena en la playa). Más bien es el hecho de que estas motas de luz son estrellas, enormes, emisoras de luz, objetos increíblemente distantes –distantes, a la vez, de nosotros y unas de otras.

puntos de luz, y aunque esta es la apariencia sensible de estos objetos luminosos extraordinariamente distantes, no lo sabemos en virtud de la naturaleza intrínseca de su apariencia. En concordancia, responder ante la apariencia de un cielo nocturno estrellado como ante la apariencia de una magnitud de objetos (soles) gigantescos, extraordinariamente distantes, no es responder a la mera intuición sensible de ellos, sino responder bajo un concepto de la clase de cosa que son, y esto no es la mera apariencia sensible del cielo nocturno, sino la idea de la inmensidad del universo –la inmensidad de la distancia que hay entre nosotros y aquello que podemos ver, la inmensidad del volumen del espacio que nos rodea y, quizá, la inmensidad del tiempo pasado (especialmente, si es ejemplificado por la inmensidad del tiempo tomado por la luz emitida por la estrella hasta llegar hasta nosotros). Esta idea no está contenida en la mera «intuición inmediata» del cielo nocturno, sino que informa la experiencia perceptiva solamente de aquellos quienes han adquirido una comprensión de qué es lo que están contemplando. Y en el caso de lo que Kant titula como sublime dinámico, el poder de lo que debe ser visto como temible, ¿es el poder que nos sorprende como un rasgo del objeto presente en la intuición sensible, más bien que en el pensamiento? Kant mismo interpreta la fuerza no como algo que nos sea dado a través de la sensibilidad, sino como algo pensado a través del entendimiento[79].

De manera que en las dos formas de lo sublime se da a menudo el caso de que para ver algún fenómeno natural de magnitud o fuerza inmensa es necesario verlo bajo un concepto, y si respondemos a él con el sentimiento de lo sublime, estamos respondiendo a un aspecto de él que no está dado en la intuición inmediata, sino que viene introducido en nuestra experiencia solamente por medio del concepto a través del cual el fenómeno es pensado. Ahora bien, la idea fundamental de Kant acerca de un juicio de lo sublime es que la sublimidad es impropiamente predicada de un objeto natural, el cual puede, como mucho, ser considerado adecuado para hacer aflorar en la mente «un sentimiento que es él mismo sublime»

---

[79] Para Kant el concepto de fuerza es derivado del concepto de causalidad, la cual no es una función de la intuición sensible.

(*CJ*, §23, 177) surgiendo, lo cual resulta impropio, básicamente, de la aprobación expresada por una predicación de sublimidad. Puede parecer, por tanto, que el ajuste requerido por el pensamiento de Kant consiste en la concesión de que los objetos naturales contemplados bajo conceptos (sin finalidad) de las clases de cosas de las que son instancias –o incluso (si los hay)[80] de organismos de tamaño o poder inmenso contemplados bajo conceptos finales de las clases naturales que estos ejemplifican– son tan adecuados para provocar el sentimiento de lo sublime como lo son los objetos naturales sin finalidad, que son dados inmediatamente a la percepción, como magnitudes o fuerzas inmensas, y si es el sentimiento lo que en sí mismo es sublime[81], la sublimidad puede ser predicada de objetos de las primeras clases sin mayor impropiedad que cuando lo predicamos de las últimas. Pero esto desubica la dificultad en Kant. El problema no es que en un juicio de lo sublime los fenómenos naturales a menudo necesiten ser juzgados bajo el concepto de una clase de la que ellos son instancia. Más bien, la propiedad de un fenómeno natural de la que se ocupa un juicio de lo sublime –inmensidad de espacio o poder– es un producto no de la sensibilidad, sino del entendimiento. No resulta sorprendente, por tanto, que en el pasaje más conocido de Kant sobre su ejemplo favorito de lo sublime en la naturaleza, el cielo nocturno plagado de estrellas, no restrinja su reacción a cómo le es dado el cielo en la percepción:

[80] En la clasificación de Kant de los juicios estéticos de la naturaleza no hay contrapartida con respecto a lo sublime del juicio de belleza dependiente. Hay buenas razones para la omisión: la noción de perfección cualitativa no tiene aplicación a los objetos semejantes de lo sublime en la naturaleza (una montaña, un abismo, el océano, el luminoso cielo estrellado, una inmensa catarata, un volcán en erupción), puesto que carecen de funciones naturales. Y ningún objeto con una función natural posee el tamaño o el poder de tales objetos. (Para Kant, un objeto natural monstruoso, de tipo final, no podría ser cualitativamente perfecto: «Un objeto es monstruoso si por su magnitud supera la finalidad que constituye su concepto» (*CJ*, 186).)

[81] Si el placer en lo sublime es un placer proposicional, el placer de la conciencia de nosotros mismos como agentes morales en posesión de un valor que lo trasciende todo, entonces aunque un juicio de lo sublime no estará basado *en el interés por el objeto natural que ocasionó la conciencia*, estará basado en el placer de un hecho acerca del mundo.

121

Dos cosas llenan el ánimo de admiración y respeto, siempre nuevos y crecientes, cuanto con más frecuencia y aplicación se ocupa de ellas la reflexión: el cielo estrellado sobre mí y la ley moral en mí. Ambas cosas no he de buscarlas como conjeturarlas, cual si estuvieran envueltas en oscuridades, en la trascente fuera de mi horizonte; ante mi las veo y las enlazo inmediatamente con la consciencia de mi existencia. La primera empieza en el lugar que yo ocupo en el mundo exterior sensible y ensancha la conexión en que me encuentro con magnitud incalculable de mundos sobre mundos y sistemas de sistemas, en los ilimitados tiempos de su periódico movimiento, de su comienzo y de su duración. (Kant, I., *Crítica de la Razón Práctica*, Madrid, 1975, Austral, p. 223.)

3
Naturaleza, arte, propiedades estéticas y valor estético

I believe a leaf of grass is no less than the
journey-work of the stars,
And the pismire is equally perfect, and a grain of sand,
and the egg of the wren,
And the tree toad is a chef-d'oeuvre for the highest,
And the running blackberry would adorn the parlors
of heaven...
Walt Whitman, «Son of Myself»[1]

3.1. Introducción

Si es que hay algo, ¿qué es lo distintivo de la estética de la naturaleza? Que la naturaleza sea su asunto no la distingue en sí de ninguna otra estética, de la estética del arte, por ejemplo, al menos en lo que respecta a la apreciación estética, puesto que una diferencia en los tipos de objetos susceptibles de apreciación estética puede no introducir ninguna diferencia que se corresponda con diferentes dominios de la estética. Por ejemplo, el hecho de que la estética de la naturaleza sea estética de naturaleza es compatible con la idea de que haya una noción unitaria de la apreciación

---

[1] Whitman, W., *Hojas de hierba*, «Canto de mí mismo», Buenos Aires, 2004, Colihue, p. 137: «Yo creo que una hoja de hierba no es menos que / el trabajo realizado por las estrellas, / y que la hormiga es / igualmente perfecta, y un grano de arena, / y el huevo del reyezuelo / y que la rana arbórea es una obra / maestra digna de los escogidos, / y que la zarzamora podría adornar los salones del cielo...»

estética en concordancia con la cual la apreciación estética se abstraiga de qué clase de cosa es el objeto de apreciación, centrándose solamente en las propiedades sensibles de un ítem, en cómo estén estructuradas para componer la forma perceptiva del ítem. Es también compatible con la idea de que la estética del arte es básica y la estética de la naturaleza sea elucidada en términos de aquella. De acuerdo con la primera visión, la apreciación estética de la naturaleza y la del arte se distinguen solamente por las diferentes naturalezas de sus objetos, no teniendo ninguno prioridad sobre el otro. Según la segunda visión, la apreciación estética de la naturaleza consiste en la contemplación de la naturaleza como si fuera arte. Pero ninguna de estas visiones es correcta. La primera puede ser rápidamente desestimada: opera con una concepción de la apreciación estética manifiestamente inadecuada, no solo para la apreciación del arte, sino también para la de la naturaleza, puesto que (dejando a un lado la naturaleza) la apreciación estética de obras de arte, como obras de arte, consiste en apreciarlas bajo los conceptos de qué clases de obras de arte son, y obras perceptivamente indistinguibles, sin embargo, poseen propiedades estéticas diferentes (como sucede con el apropiacionismo, que hace réplicas de originales). La segunda concepción puede asimismo ser rechazada si, tal y como creo[2], del mismo modo en que la apreciación estética del arte es la apreciación del arte como arte, así la apreciación estética de la naturaleza es la apreciación estética de la naturaleza como naturaleza. Dado que el mundo natural no es artefacto de nadie, la apreciación estética de la naturaleza como naturaleza, si ha de ser fiel a lo que la naturaleza realmente es, debe ser apreciación estética de la naturaleza como un objeto no producido intencionalmente (y, por tanto, no como arte).

Ahora bien, el rechazo de la idea de que la apreciación estética de la naturaleza consiste en apreciar la naturaleza como si fuera arte no necesita basarse en la aceptación de esta idea de la apreciación estética de la naturaleza como naturaleza, sino que podemos exigirle dos cosas ninguna de las cuales cumple. Pri-

---

[2] Véase el ensayo 1. Esta concepción de la apreciación estética de la naturaleza ha sido largamente reconocida por Allen Carlson y Holmes Rolston III, entre otros.

mero, el hecho innegable de que es posible contemplar un objeto natural como si fuera una obra de arte no implica que sea así como lo hagamos o como debamos contemplar los objetos naturales cuando los experimentemos estéticamente. Así, necesitamos de un argumento para saltar la distancia desde lo posible a lo real o necesario. Segundo, una concepción de la apreciación estética de la naturaleza debe ser fiel a la fenomenología característica de la experiencia de apreciar la naturaleza estéticamente.

La imposibilidad de satisfacer estas dos exigencias puede ilustrarse considerando el intento mejor articulado de interpretar la apreciación estética de la naturaleza según el modelo de la apreciación artística. La teoría de Anthony Savile (Savile, 1982: ch. 8) es superior a otras versiones de la idea, precisamente, porque se toma en serio las implicaciones de la idea de contemplar un ítem natural como si fuera una obra de arte, lo cual requiere integrar la belleza natural en la concepción del valor artístico. Un rasgo admirable de la interpretación de Savile es que, aunque asimila la apreciación estética de la naturaleza a la apreciación del arte, reconoce a la estética de la naturaleza un carácer distintivo. La diferencia entre arte y naturaleza, que debe figurar en cualquier estética adecuada, se refleja en un rasgo —una clase de libertad y forma correlativa de relatividad— atribuido a los juicios estéticos sobre la belleza de los ítems naturales, que no poseen los juicios acerca de la belleza del arte. Creo que los juicios de belleza natural se distinguen por un tipo de libertad y relatividad que no pertenecen a los juicios del valor artístico, pero las versiones de estas ideas que yo suscribo son muy diferentes a las de Savile.

3.2. La belleza del arte y la belleza de la naturaleza

El análisis que propone Savile de la belleza de una obra de arte está basado en la idea de que, necesariamente, cada obra de arte responde a algún problema, lo cual significa que está construida para encajar con una descripción marcada por la idea general, la intención-guía general del artista, un problema que intenta resolver en un conjunto de límites estéticos que puede llamarse estilo. En esencia, la idea es que una obra de arte es bella, si y solo si, vista como respuesta a un problema y en su estilo, evoca la respuesta apropiada, siendo esta el sentimiento de satisfacción que experimentamos cuando reconocemos que la solución que una obra de arte propone a un problema dentro de sus propios límites estéticos es correcta. Ahora bien, si «belleza» es, como mantiene Savile, el término más general de alabanza estética, unívoca, tanto si se predica del arte como de la naturaleza, el análisis debe extenderse a casos tanto de belleza natural como artística, sin introducir ambigüedades al concepto de belleza. Aunque las nociones de problema y estilo no tienen lugar en la naturaleza, esto no descarta la posibilidad de contemplar un objeto natural como si fuera una obra de arte construido como solución a cierto problema dentro de un conjunto de limitaciones estilísticas. Y si esta fuera la forma en que experimentamos o debiéramos experimentar la belleza natural, el hecho de que no se den en la naturaleza el estilo y el problema, no sería obstáculo para una concepción unitaria de la belleza. Pero será siempre posible pensar en algún estilo y problema para cualquier objeto natural, que sean tales que el objeto pueda ser visto como una solución satisfactoria a ese problema dentro de las limitaciones estéticas de ese estilo, de manera que cada objeto natural será bello bajo una u otra descripción. En consecuencia, Savile enmienda su visión de la belleza de manera que un juicio de algo bello es un juicio de esto bajo una descripción (un problema) y un estilo, de forma que el valor de verdad de un juicio acerca de la belleza de un objeto natural es relativo a la descripción y el estilo elegidos por el espectador, quien es libre (a diferencia del observador de una obra de arte) de seleccionar cualquier descripción y estilo que le guste.

No obstante, esto no es suficiente para superar el problema que la belleza natural plantea a esta concepción, puesto que la posibilidad no es lo mismo que la actualidad o la necesidad: el hecho de que sea posible contemplar un objeto natural como si fuera una obra de arte no implica que sea así como lo hagamos o como debamos contemplar los objetos naturales cuando los experimentemos como bellos. Para salvar la distancia entre posiblidad y actualidad/necesidad, Savile insiste, en primer lugar, en que juzgar algo como si fuera una obra de arte (cuando no lo es) no es una mera posibilidad, sino algo que en ocasiones realmente sucede (con un detalle de una obra de arte). Por tanto:

Para hacer plausible que esto es lo que sucede también en el caso natural solo tenemos que encontrar una explicación a la razón para hacerlo [esto es, juzgar un objeto natural como si fuera una obra de arte]. Es decir, tenemos que explicar por qué nos preocupa que la *naturaleza* exhiba belleza (Savile, 1982: 181-2).

Savile sugiere (según líneas kantianas, aunque operando con una diferente concepción de belleza) que hay buenas razones para experimentar las cosas naturales como bellas. Al hacerlo las amamos; al amar a la naturaleza nuestra integración en el mundo se favorece; «ese apego hacia el mundo tal y como es promovido a través de la apreciación de sus bellezas favorece nuestra admiración por él y el respeto por las reclamaciones que hace contra nosotros» (Savile, 1982: 182), y así, al amar algo distinto de nosotros desinteresadamente la moral se ensancha.

Ahora bien, esta explicación de por qué debemos preocuparnos por que la naturaleza exhiba belleza, cualquiera que sea, no elimina el salto en el argumento. Puesto que lo que necesitamos es (i) una explicación del hecho de juzgar un objeto natural como si fuera una obra de arte, y (ii) un argumento para que este modo de juzgar sea obligatorio o la única posibilidad para el juicio de belleza natural. La sugerencia yerra en (ii). Más aún, la brecha en el argumento es, creo, insalvable. Las razones son que, primero, no es imposible ver el mundo natural estéticamente excepto si lo vemos como si fuera arte. Segundo, no es cierto que, a menos que la naturaleza sea vista como si fuera arte, haya escaso interés estético en ella. Tercero, las consideraciones kantianas que postulan un enlace entre la experiencia de las cosas naturales como bellas y el fomento de la moralidad están también inmediatamente disponibles a la apreciación estética de la naturaleza como lo que la naturaleza realmente es. De hecho, están más naturalmente disponibles a esta concepción, puesto que solo así la naturaleza *exhibe* realmente belleza y la cuestión aflora como relativa a la importancia de nuestra atención a que lo haga. Si contemplamos la naturaleza como si fuera lo que sabemos que no es, y somos libres en seleccionar problema y estilo, de manera que con suficiente imaginación podamos ver cualquier cosa como bella (o, en su lugar, como carente de belleza), no tenemos razón alguna en preocuparnos de cómo es realmente la naturaleza y tampoco tenemos razones para amarla por lo que es. Y, finalmente, la experiencia de la naturaleza como si fuera arte no ofrece beneficios sustanciales para compensar las ventajas de la experiencia estética de la naturaleza como lo que realmente es, de manera que fuera mejor experimentarla de la primera forma más que de la segunda. Por consiguiente, no es obligatorio juzgar un ítem natural estéticamente como si fuera una obra de arte, y dado que la naturaleza no es arte, juzgarla como si lo fuera es juzgarla mal.

Ahora bien, cualquier versión de la idea de que la apreciación estética de la naturaleza consiste en la naturaleza contemplada como si fuera arte debe representar, sea cual sea la concepción de valor artístico que abrace, la apreciación estética de la naturaleza como informada por conceptos esenciales a la apreciación artística, pero sabiendo que no son aplicables a la naturaleza. Ello, por tanto, encara los mismos obstáculos insuperables que se presentaban a la visión de los juicios estéticos de belleza natural de Savile. Además, sería vulnerable a una objeción crucial –una que no he traído a colación contra la versión de Savile[3]–, a saber, que no es fiel a la fenomenología de la experiencia estética de la naturaleza. Dado que la experiencia estética de la naturaleza no está impregnada con aquellas nociones esenciales a la apreciación del arte, la satisfacción que experimentamos cuando encontramos un árbol, un pájaro, un paisaje o un cielo bellos no es la de ver un objeto como solución excelente de un problema en el conjunto de limitaciones estéticas constitutivas de un estilo, ni responde a ninguna concepción de valor artístico alternativa viable. Al contrario, la apreciación estética de la naturaleza no-teística está saturada de una conciencia, clara o no, de que la naturaleza no es arte.

3.3. Apreciar la naturaleza por lo que la naturaleza es en realidad

Dada la inaceptabilidad de la concepción que afirma que la apreciación estética de ítems naturales debe pensarse como su apre-

---

[3] Dejo de lado el compromiso que Savile mantiene con la concepción de que «bello» se usa siempre como un adjetivo atributivo y nunca predicativo. Las razones que él da en apoyo de esta concepción es que un ítem puede ser bello como un F pero no ser bello como un G. Pero eso no implica que «bello» no se use nunca predicativamente. Véase Frank Silbey (2001a) para un tratamiento más definitivo de la cuestión.

ciación bajo conceptos artísticos, la alternativa obvia es que deben ser apreciados bajo los conceptos de las cosas o de los fenómenos naturales que son. Y esta concepción alternativa de la apreciación estética de ítems naturales tendrá una significación estética especial en la medida en que dos tesis de Kendall Walton (Walton, 1970) sobre la conexión entre las propiedades estéticas de las obras de arte y las categorías artísticas a las cuales pertenecen, sean sostenidas también para la conexión entre las propiedades estéticas de ítems naturales y las categorías de la naturaleza. Aplicadas a la naturaleza estas tesis se convierten en: (i) (la tesis psicológica) las propiedades estéticas que un ítem natural parezca poseer –las propiedades estéticas según las cuales lo percibimos o experimentamos– son función de la categoría o categorías de la naturaleza bajo las cuales lo experimentamos (esto es, de qué clase de cosa natural percibimos que es), y (ii) (la tesis filosófica) las propiedades estéticas que el ítem realmente posee estarán determinadas por las categorías naturales correctas bajo las cuales es percibido (por un observador apropiadamente informado y estéticamente sensible, que emplea el conocimiento relevante de qué ítems de esa categoría son, de manera estándar, percibidos así).

Ahora bien, es compatible con el requerimiento de que la apreciación estética de la naturaleza sea la apreciación estética de la naturaleza como naturaleza (como lo que la naturaleza realmente es) que los ítems naturales no sean apreciados estéticamente bajo ningún concepto en absoluto (excepto el de naturaleza mismo); es decir, no como instancias de las clases que ejemplifican, sino solo respecto de sus cualidades sensibles, la manera en la que se componen las formas perceptivas de sus ítems, y las propiedades estéticas que poseen en virtud de estas cualidades y formas[4]. Ahora bien, aunque nosotros raramente apreciemos estéticamente un ítem natural, si es que alguna vez lo hacemos, meramente como natural, y hacerlo su-

---

[4] Como Allen Carlson expone (Carlson, 1979b), solamente una visión enmarcada del entorno natural, no el entorno mismo, es lo que posee cualidades formales, a pesar de lo cual no estoy persuadido por la afirmación más fuerte que él defiende, según la cual, *cuando es apreciado estéticamente del modo apropiado*, no es posible ver una sección del entorno como poseedora de cualidades formales. Véase el ensayo 4, §3. Pero, en cualquier caso, lo que es cierto de la apreciación estética del entorno natural no es por ello cierto de la apreciación estética de la naturaleza.

pusiera comprometernos en una forma disminuida de apreciación estética de la naturaleza, a menudo nos deleitamos estéticamente en ítems naturales que percibimos solo bajo conceptos muy generales (flor), no como instancias de las clases específicas que ejemplifican (orquídea), o bajo un concepto (flor), pero no otro coextensivo que exprese un entendimiento más profundo de la naturaleza o de la función de clase (órgano sexual de la planta). Esto pone de manifiesto una falta de claridad en la idea de la apreciación de una cosa natural como la cosa natural que es, dado que cualquier cosa natural cae bajo un concepto natural más o menos específico, y puede ser apreciada bajo conceptos que expresan una mayor o menor comprensión. Y también muestra un problema para la tesis filosófica de Walton transferida a la naturaleza[5]. El problema es: ¿qué determina cuál es el concepto o conceptos bajo los cuales ha de ser percibido un ítem natural? Porque de lo que se trata no es de si un ítem natural cae o no bajo cierto concepto de la naturaleza, sino cuáles de aquellos conceptos bajo los que cae son aquellos según los que debería ser percibido *desde un punto de vista estético*, donde esto significa que la percepción bajo estos conceptos libera las propiedades estéticas que realmente posee y hace posible un juicio apropiado de su valor estético. Una interpretación no relativa a categorías de los juicios sobre propiedades estéticas de ítems naturales requiere que una cosa natural no caiga bajo diferentes conceptos naturales, de tal modo que, al ser percibida bajo estos conceptos –los conceptos correctos bajos los que percibirla– sea experimentada apropiadamente como poseedora de propiedades estéticas incompatibles. Desde el momento en que el mismo ítem natural puede caer bajo una variedad de conceptos naturales,

---

[5] No existe dificultad en transferir la tesis psicológica desde el arte a la naturaleza (aunque creo que, en virtud de que los ítems naturales no son productos artísticos, se hace de forma empobrecida); justamente en el modo en que el carácter de una obra es función de cuáles de sus rasgos perceptivos no estéticos son «estándares», «variables» o «contraestándares» para alguien que perciba la obra bajo una cierta categoría de arte, así el carácter estéticamente percibido de una cosa natural es función de cuáles de sus rasgos perceptivos no estéticos son estándares, variables o contraestándares para alguien que la perciba bajo cierta categoría natural. Véase el ensayo 4, §6. Carlson (1981) trata de mostrar que tanto la tesis psicológica como la filosófica pueden ser transferidas a la naturaleza.

la transferencia exitosa de la tesis no psicológica a la naturaleza necesita de un criterio de corrección que produzca el resultado requerido. Y se da una dificultad adicional acerca de las propiedades estéticas y del valor estético de las cosas naturales, consideradas como la clase de cosas naturales que son: sobre cómo deben ser apreciadas estéticamente y qué es relevante para su apreciación estética. Dado que hay una dis-analogía importante entre las limitaciones impuestas sobre la apreciación estética, por un lado, por el hecho de que un ítem deba ser apreciado como la obra de arte que es, y, por el otro, por el hecho de que deba ser apreciado como el ítem natural que es. Esta diferencia asume una significación crucial en una valoración de la doctrina de la estética positiva con respecto a la naturaleza.

3.4. Estética positiva respecto a la naturaleza

Con respecto a la naturaleza, la estética positiva mantiene que existe la siguiente diferencia vital entre la apreciación estética de la naturaleza virgen y la apreciación del arte (o de la naturaleza afectada por los humanos): mientras que la estética de la naturaleza inviolada es positiva, tratando solamente de la aceptación y la apreciación estética de todo lo que existe en la naturaleza, la estética del arte es crítica en el sentido de que permite juicios estéticos negativos. Y así, la estética positiva defiende que la razón de esta diferencia, la razón de que el criticismo estético negativo esté fuera de lugar en la apreciación estética de la naturaleza, consiste en que *el mundo natural sin tocar por la humanidad es, estéticamente, esencialmente bueno*[6]. Pero esta doctrina necesita ser más precisa. En primer lugar está la cuestión de su alcance. Se puede considerar aplicable a (i) la naturaleza como un todo, (ii) la biosfera terrestre (o de cualquier

---

[6] En su (1984) Allen Carlson critica decisivamente tres posibles justificaciones de la estética positiva antes de presentar lo que él considera la justificación más plausible de la doctrina. Este es el primero de los argumentos que examino a continuación. Stan Godlovitch distingue y examina varias interpretaciones de la estética positiva en su (1998a). Nótese que, tomada estrictamente, la naturaleza no afectada por los humanos ahora incluye relativamente muy poco, si es que incluye algo, dentro de la biosfera.

otro planeta), (iii) cada eco-sistema, (iv) cada clase de ítem natural (o quizá orgánico), (v) cada cosa natural (orgánica) particular, (vi) cada evento (o secuencia conectada de eventos) natural. En segundo lugar está la cuestión de su fuerza. La afirmación de que la naturaleza no modificada por los humanos es, estéticamente, esencialmente buena puede ser entendida para permitir que la naturaleza prístina posea algunas cualidades estéticas negativas (aunque sean cualidades siempre compensadas por cualidades estéticas positivas), o se puede pretender descartar esta posibilidad[7]. Puesto que no sería suficiente afirmar que cada ítem natural tiene una cualidad o cualidades evaluables estéticamente –una afirmación que parecería ser casi tan plausible para artefactos como para la naturaleza–, entonces, dejando a un lado la naturaleza como un todo, la estética positiva debe afirmar que cada biosfera, ecosistema, clase de ítem natural, cosa natural particular o suceso natural, (a) carece de cualidades estéticas negativas y las posee positivas; (b) posee valor estético positivo *general* o *equilibrado*, o (c) posee *igual* valor estético positivo en general[8]. En tercer lugar, está la cuestión del estatus modal de la doctrina. ¿Se supone que hay alguna clase de verdad necesaria acerca de la naturaleza o podría la naturaleza haber sido de otra forma?

Dos argumentos desarrollados por Allen Carlson en apoyo de la estética positiva, ninguno de los cuales utiliza como premisa que algún ítem natural individual tenga un valor estético positivo, merecen ser examinados. El primero (Carlson, 1984), se desarrolla

---

[7] La segunda alternativa es abrazada por Eugene Hargrove (1989, 177); «la naturaleza es bella y no posee cualidades estéticas negativas», citado en Godlovitch (1998a). Tanto si la naturaleza carece de cualidades estéticas negativas como si no, es inmune a los múltiples defectos de los que es responsable el arte como producto de diseño inteligente.

[8] Nótese que la concepción de que cada cosa natural (ecosistema, o lo que sea) tiene igual valor estético general positivo, (i) no se compromete sobre el grado del valor, el cual, por todo lo que afirma, puede ser más bien bajo, y (ii) rechaza que las cuestiones de los valores estéticos comparativos de ítems naturales sean siempre indeterminados –o sea, ni es verdadero que uno de los ítems posea mayor valor estético que el otro, ni que sean ambos iguales en valor. Pero sería algo a considerar interpretar «iguales» como queriendo decir «aproximadamente iguales», en cuyo caso la indeterminación está permitida, y quizá resulte inevitable (a menos que los ítems sean de la misma clase e indiscernibles).

como detallo a continuación. De cara a apreciar qué cualidades y valor estético posee un ítem es necesario saber cómo debe ser percibido, lo cual requiere conocimiento de qué clase de cosa es. Las cualidades estéticas que algo posee serán aquellas que parece poseer cuando es percibido según su categoría correcta. Las categorías correctas para la apreciación estética de la naturaleza –objetos naturales y paisajes, por ejemplo– son aquellas provistas e informadas por las ciencias naturales. Así, la estética positiva será establecida si, y solo si, puede demostrarse que el mundo natural (no afectado por los hombres) debe ser visto como estéticamente bueno, cuando es percibido según las categorías naturales (bajo las que cae): las cualidades estéticas de la naturaleza son aquellas que parece tener cuando es apreciada estéticamente de forma apropiada, esto es, cuando es percibida bajo su categoría correcta, las categorías naturales. Así pues, la naturaleza es, estéticamente, esencialmente buena si, y solo si, es así como aparece cuando es percibida según aquellas categorías naturales a las que pertenece. Esto sería así si las categorías creadas por la ciencia para los paisajes y los objetos naturales fueran tales que su corrección estuviera determinada por el criterio de bondad estética; esto es, si las categorías correctas fueran aquellas por las cuales la naturaleza parece estéticamente buena cuando es percibida según ellas. Sin embargo, «la bondad estética, ciertamente, no es el criterio por el cual los científicos determinan la corrección de sus descripciones, categorías y teorías» (Carlson, 1984: 30). A pesar de lo cual, la creación de categorías naturales y su corrección en un importante sentido depende de consideraciones estéticas. Esto es así porque:

una categorización más correcta de la ciencia es una que, a través del tiempo, hace que el mundo natural parezca más inteligible, más comprensible, para quienes es su ciencia. Nuestra ciencia apela a ciertas clases de cualidades para llevar esto a cabo. Estas cualidades son tales como orden, regularidad, armonía, equilibrio, tensión, conflicto, resolución y así en adelante. Si nuestra ciencia no descubriera, desvelara o creara tales cualidades en el mundo natural y no explicara ese mundo en esos términos, no cumpliría la labor de hacerlo parecer inteligible ante nosotros; más bien, dejaría el mundo como incomprensible, al igual que parecen dejarnos otras visiones diferentes que contemplamos como superstición. Además, estas cualidades, que hacen que el mundo nos resulte comprensible, son también aquellas por las que lo encontramos estéticamente bueno. Así, cuando las experimentamos en el mundo natural, o cuando experimentamos el mundo natural en sus términos, lo encontramos estéticamente bueno (Carlson, 1984: 30-1).

Resumiendo: puesto que las categorías naturales creadas por la ciencia son las categorías correctas según las cuales hemos de apreciarla y, dado que estas categorías son creadas parcialmente a la luz de la bondad estética y ello hace aparecer al mundo natural como bueno cuando es percibido según ellas, el mundo natural es estéticamente bueno. Y esta posición, argumenta Carlson, recibe apoyo del hecho de que los adelantos en la ciencia se dan en estrecha correlación con desarrollos en la apreciación estética de la naturaleza. Por ejemplo, la apreciación estética positiva, por un lado, de paisajes previamente detestados, tales como montañas y junglas, y, por otra parte, de formas de vida previamente detestadas, tales como insectos y reptiles, parecen haber estado seguidas de desarrollos en geología, geografía y también en biología.

El segundo argumento (Carlson, 1993) mantiene que la apreciacion de la naturaleza debe ser entendida como una forma de «apreciación de orden». La apreciación del orden consiste en una selección de objetos que apreciar y en el centrarse sobre un cierto tipo de orden que los objetos muestran. El foco se pone sobre el orden impuesto en los objetos seleccionados por las distintas fuerzas, azarosas o de otro tipo, que los producen. «Orden» significa «patrón ordenado –patrón ordenado por, y revelador de, las fuerzas de la creación o selección responsables de él». La selección se hace por referencia a una visión no-estética y no-artística, la cual, por hacer manifesto e inteligible ese orden, hace apreciables los objetos. En el caso de la naturaleza, (i) el orden relevante es el orden natural; (ii) las fuerzas relevantes son las geológicas, biológicas y meteorológicas, productoras del orden natural, y (iii) la visión relevante es la dada por las ciencias naturales –astronomía, física, química, biología, meteorología y geología–. Y debido a que todo en la naturaleza revela necesariamente el orden natural, todos los objetos naturales son (más o menos) «igualmente apreciables», «de equiparable atractivo estético», «equiparables en belleza e importancia», de manera que «seleccionar entre todo lo que el mundo natural ofrece, no es de mucha importancia final».

Ahora bien, no está claro exactamente cuál es la versión de estética positiva que estos argumentos pretenden establecer. Si el alcance no es solo acerca de clases, sino también de sus instancias[9], y la doctrina sostiene que todas las cosas naturales poseen igual valor estético positivo[10], los argumentos no son convincentes. Consideremos (la selección de) un objeto natural viviente individual –una planta o un animal, por ejemplo–. No hay nada en el segundo argumento que nos impida llegar a la conclusión de que todo objeto natural es igualmente atractivo, queriendo esto decir que cada objeto natural orgánico, en cada momento de su vida, es igualmente atractivo estéticamente. Pero el hecho de que la condición de un objeto viviente, que puede estar enfermo o malformado, o mostrar signos de proximidad a la muerte, sea explicable en términos de fuerzas y procesos naturales no implica que, cuando es visto como producto de tales fuerzas, el objeto, en esa condición, deba o pueda ser visto como equiparable en atractivo estético a cualquier otro objeto natural, o como a él mismo en otra condición anterior o posterior. Por el contrario, los objetos vivientes decaen, están sujetos a la enfermedad o la carencia de nutrientes que afectan a su apariencia, pierden sus atractivos colores y (si poseen capacidad de locomoción) cualquier gracia y facilidad de movimiento que antes poseyeran y, al hacerlo, disminuye su atractivo estético. Cualquier argumento que conduzca a la conclusión de que cada objeto natural viviente es equiparable en atractivo estético y en cada estadio de su vida a cualquier otro debe ser defectuoso. Y los dos argumentos, entendidos como dirigidos a la conclusión de que cada cosa natural particular posee aproximado valor estético general positivo, no son sólidos.

[9] Carlson se inclina a creer que la justificación de la estética positiva ofrecida en el primer argumento hace la tesis aplicable no solo a las clases, sino también a sus instancias o ejemplos: «dado el rol de bondad estética en la descripción, categorización y teorización científicas, sospecho que el conocimiento científico como un todo está estéticamente imbuido de tal forma que nuestra apreciación de particulares es tan rica como resulta la de las clases» (Carlson, 1984: 32 n. 67).

[10] Que esta es la posición de Carlson en su texto de 1984 lo confirma la nota al pie número 61 de su texto de 1993, el cual remite al lector al texto previo del año 1984 para un desarrollo más completo de esta linea de pensamiento que conduce a la conclusión que sostiene que «todos los objetos naturales parecen igualmente atractivos estéticamente» (Carlson, 1993: 222).

El primer argumento concluye, del hecho de que las consideraciones estéticas (positivas) determinan parcialmente las categorías creadas por la ciencia para hacer que el mundo natural resulte inteligible, que son las correctas para percibir la naturaleza, que el mundo natural es estéticamente bueno. Sin embargo, esta afirmación sumaria desdibuja un rasgo esencial del argumento, que nos dice que la ciencia cumple la tarea de hacer que el mundo natural sea inteligible descubriendo cualidades estéticas positivas en la naturaleza. En consecuencia, «cuando las experimentamos en el mundo natural o experimentamos el mundo natural en sus términos, lo encontramos estéticamente bueno». Estas cualidades son las de «orden, regularidad, armonía, equilibrio, tensión, conflicto y resolución», que son las clases de cualidades que nos resultan buenas en arte. Ahora bien, no está claro cómo contribuyen al argumento las tres cualidades finales. Ni la tensión ni el conflicto en sí mismo son cualidades estéticas positivas, y la resolución de la tensión o del conflicto, tanto en arte como en la naturaleza, pueden darse de forma no atractiva desde el punto de vista estético. Además, la apreciación estética de un ítem natural no necesita estar impregnada de los conceptos de tensión, conflicto y resolución, so pena de ser superficial o, de una forma u otra, defectuosa, dado que a menudo se da el caso de que una cosa natural no está en estado de tensión o conflicto (en cualquier sentido ordinario). Por tanto, apelar a cualidades como estas podría no soportar el peso del argumento. Respecto a las tres primeras cualidades, parecen ser poco más que reflejo del carácter regular de la naturaleza, y no se sigue del hecho de que cada cosa natural y cada parte de ella estén sujetas a la ley natural que todos los objetos naturales sean equiparables en atractivo estético[11]. Incluso si algún atractivo estético se acumula en un ítem, en virtud de ser gobernado por una ley, los objetos naturales variarán no obstante en su atractivo estético, manifestando diferentes cualidades estéticas positivas. Además, estar regulado por una ley no impide la posesión de cualidades es-

[11] Nótese que simplicidad y elegancia, por ejemplo, cualidades deseables de las teorías, y siendo la segunda también una cualidad estética, no están mencionadas, al menos explícitamente, por el argumento, aunque quizá caigan bajo el epígrafe «tales como».

téticas negativas, ni garantiza la posesión, por cualquier objeto natural que posea cualidades estéticas negativas, de cualidades estéticas positivas compensatorias, por las que cada objeto natural tenga el mismo valor estético general. Y las cosas vivientes exageradamente malformadas parecerán grotescas, sin importar en qué medida la ciencia haga comprensibles sus malformaciones. Dejando a un lado la cuestión de si el modelo correcto para la apreciación de la naturaleza es la apreciación del orden, el segundo argumento que, tal y como se presenta, no contiene referencia a cualidades estéticas que figuren en la determinación de las categorías naturales, no sale mejor parado –quizá peor–. Puede ser verdad que, desde el punto de vista de la apreciación de la naturaleza, haya una cantidad enorme de cosas, quizá infinitas, que deben ser entendidas, acerca de la composición de cualquier cosa natural y cómo fue generada por las fuerzas y materiales de la naturaleza, pero esto no implica nada acerca de las cualidades estéticas del ítem –en particular, que estas son esencialmente positivas e iguales en valor a las de cualquier otra cosa de la naturaleza. El hecho de que el orden impuesto sobre cualquier objeto natural seleccionado por las distintas fuerzas que lo produjeron sea el orden natural, de forma que «todo en la naturaleza, necesariamente, revele el orden natural», no implica que el orden manifiesto en cualquier selección de la naturaleza sea, desde el punto de vista estético, igualmente atractivo, interesante o valorable. No toda apreciación es apreciación estética y el argumento, tal y como está formulado, se desliza desde «igualmente apreciable» queriendo decir con ello «evidenciando igualmente el orden natural», a «igualmente apreciable» queriendo decir ahora «equiparable en valor estético».

Aunque el rechazo de la visión de que cada cosa natural, en cada momento de su existencia, posee valor estético positivo general no implica el rechazo de la visión de que cada cosa natural, tomada como un todo, es decir, considerándola en toda su duración, posee valor estético positivo general (aproximadamente igual al de cada cosa natural), esta posición más débil no es recomendable por sí misma. Aparte de la cuestión de cómo debería estar determinado el valor estético de un ítem natural, tomado como un todo, los ítems naturales se dan de muchas maneras, bióticas y no bióticas, de breve o larga duración, y respondiendo a diferentes criterios de identidad, como para impedir la verdad de cualquier afirmación universal acerca de sus valores estéticos.

Si, como parece claro, no hay esperanza para la versión más ambiciosa de la estética positiva, ¿de qué forma podría preservarse la doctrina? Primero, su alcance debe ser modificado. Sería, quizá, más plausible si no fuera una afirmación sobre particulares, sino sobre clases. Dado que cada clase de cosa viviente está dotada de algún valor estético en virtud de poseer partes adecuadas para el desarrollo de sus funciones naturales[12], su ejercicio muestra algunas veces cualidades estéticas tan atractivas como la gracia de movimiento y muchas clases bióticas (todas las flores, quizá) poseen indudablemente un valor estético general positivo. Hay incluso clases de objetos naturales (galaxias, estrellas, océanos) o de sucesos (la erupción de un volcán) que son de tal forma que, según un sentido de la noción, cada instancia de ellos es sublime[13]. Sin embargo, por un lado, hay muchas clases de ítems naturales que no son formas de vida y cuyos caracteres parecen ser inadecuados para garantizar un valor estético general positivo, y, por otro lado, quizás haya formas de vida que no posean un valor estético general positivo. En cualquier caso, las categorías de la naturaleza exhiben tal diversidad –unas pocas (*colina*) básicamente morfológicas, otras (*arco iris*) recogen meras apariencias, otras (*nido*) se definen por el uso que se hace de ellas, etc.– como para hacer que resulte arriesgada una doctrina de estética positiva acerca de las clases de ítems naturales.

[12] Compárese con Aristóteles (2001, 645a, 23-5). Los más conocidos contraejemplos de Burke (Burke, 1958: pt. III, §VI) a la concepción de que la belleza de los objetos naturales deriva de la adecuación de sus partes a sus distintas finalidades –«el hocico en forma de cuña de un cerdo», «la gran bolsa colgante del cuello del pico de un pelícano», «la espinosa coraza de un erizo» y «las plumas misil» de un puercoespín, por ejemplo– fueron quizá bien elegidos para atraer prejuicios comunes del momento, pero de hecho no son inconsistentes incluso con su propia concepción de belleza (como la cualidad o cualidades de los objetos por las que causan amor o alguna pasión similar).

[13] Compárese con Holmes Rolston III (1998: 164): «Al igual que las nubes, la orilla del mar y las montañas, los bosques nunca son feos, tan solo más o menos bellos; la escala va desde el cero y prosigue sin dominio negativo alguno.»

¿Y qué hay de los ecosistemas? La afirmación de que cualquier ecosistema, tomado como un todo, inevitablemente posee un valor estético general positivo (aproximadamente comparable al de cualquier otro) hace aflorar tres cuestiones: una que concierne a la base de la propia afirmación, otra a la apreciación del postulado valor estético y otra a la relación entre la apreciación estética de un ecosistema y la apreciación estética de los ítems en él. Si de hecho es verdad que cada ecosistema debe tener un valor estético general positivo, esta necesidad debe provenir del carácter de tal (eco)sistema. Ahora bien, un ecosistema, en el sentido de la cuestión, es un segmento de naturaleza relativamente auto-contenido, integrado por una comunidad biológica autosuficiente y su entorno, que contiene una rica variedad de formas de vida interdependientes, cada una de ellas con su propio nicho, que es un producto de las presiones de la selección, y que implica una multiplicidad de movimientos energéticos circulares en el sistema por medio de procesos biológicos por los cuales partes de una forma de vida son asimiladas por otras, cuyas partes son a su vez asimiladas por otras, en alguna medida, con una descomposición de estructuras orgánicas en elementos que alimentan la nueva vida que tiene lugar. No está claro exactamente cómo se supone que esta esencia garantiza un valor estético general positivo, especialmente a la luz de que hay una gran cantidad de muerte y sufrimiento en la mayoría de los ecosistemas.

Quizá la línea de pensamiento más plausible se desarrolla así: aunque un ecosistema contenga objetos y sucesos que, en sí mismos, posean un valor estético negativo, cuando son vistos en el contexto de los recursos de reciclaje intrínsecos al sistema que se suceden en la recreación perceptiva de la vida (mucha de la cual es bella):

> las partes feas no se sustraen, sino que más bien enriquecen el conjunto. La fealdad contenida supera y se integra en la belleza, compleja y positiva. (Rolston III, 1988: 241).

Aquí parece haber cuatro ideas: la primera, que muchas de las formas vivas de un ecosistema, quizá una gran mayoría, son bellas en sí mismas; segunda, que cualquier fealdad local es solo un estadio en un proceso que emana belleza; tercera, que esta fealdad local cuando es vista como preludio de la creación de nueva vida, disminuye, y cuarta, que en virtud de la continua creación de vida, por medio de los procesos biológicos que operan en el sistema, el sistema, considerado como el despliegue temporal de esos procesos, es él mismo bello (o sublime)[14]. Si la primera de estas ideas, incluso cuando se combina con la consideración vital de que la naturaleza es inmune a todos los defectos de los que el arte es responsable en virtud de ser producto de diseño inteligente, no es suficiente para garantizar que cada ecosistema posea un valor estético positivo –como podría no ser, dado que cada cosa viviente antes o después se convierte en algo estéticamente no atractivo en sí mismo conforme se va deteriorando, muere y se descompone–, el peso debe recaer en la última.

Ahora bien, incluso si pudiera mostrarse que cada ecosistema debe tener (aproximadamente igual) valor estético general positivo, habría problemas acerca del valor de la apreciación (dejando a un lado la cuestión de los límites temporales y espaciales de un ecosistema). Si la posesión de valor estético general positivo de un ecosistema es cuestión de cómo los distintos acontecimientos se relacionan entre sí, o bien todos los hechos que tienen lugar en él son relevantes para la determinación de ese valor o solamente un subgrupo, y, si esto es viable, debe cuadrar con el concepto del valor estético de un ítem. (Quizá el único requerimiento impuesto por la idea de lo estético es qué sucesos esenciales para el valor estético de un sistema deberían ser perceptibles). En ambos casos, el hecho de que un observador perciba solamente una pequeña porción de tiempo de un ecosistema, e incluso entonces solamente una pequeña parte de lo que este contiene en esa pequeña porción de tiempo, presenta un problema para la apreciación del valor estético de ese ecosistema, problema que no puede evitarse enfatizando la transformación de la percepción por el conocimiento, el observador ecológicamente informado percibiendo sucesos y estadios en un ecosistema como estadios en movimientos de energía circulares, a través de diferentes formas de vida. Además de la dificultad que se le presenta a un observador de abarcar la to-

---

[14] Ver Rolston III (1988: 243-5).

talidad de un ecosistema en su extensión parcial, la duración temporal de un ecosistema probablemente exceda, a menudo ampliamente, el tiempo que uno puede entregar a esa observación, limitando la posibilidad realista de la propia apreciación de ese valor, sin importar cuánto pueda estar informada la percepción personal de cosas y sucesos en él por conocimiento ecológico relevante o cómo de vívidamente pueda uno llegar a apercibirse, por medio de la imaginación, de los procesos biológicos que subyacen y que son responsables de la apariencia visual, o de otro tipo, del sistema. En la apreciación de una obra de arte temporal (o una obra literaria) es necesario experimentar la obra desde el principio hasta el final, siguiendo el camino en el cual una parte sucede a otra parte, tal y como la obra lo muestra: solo de esta manera es posible formarse un juicio de su éxito artístico. Pero diez mil sucesos esenciales a la estabilidad de un ecosistema tienen lugar en él de una manera –bajo tierra, en la oscuridad, en el interior de un ser viviente– que los hace normalmente imposibles de observar, o quedando más allá de los límites de la observación (como la liberación de nutrientes del humus en la tierra). Además, los colores de una cosa natural, tal y como nosotros los humanos los vemos, no son esenciales en el mantenimiento y la funcionalidad de un ecosistema, a pesar de que figuren destacadamente en nuestra apreciación estética de la naturaleza; innumerables sonidos, algunos de los cuales juegan un rol funcional en un ecosistema, aunque otros no, son demasiado graves o agudos para que nosotros seamos capaces de escucharlos; muchos de los olores de la naturaleza, los rastros de los animales, por ejemplo, escapan a nuestra detección y sin embargo son de significación crucial en la tarea de un ecosistema, y, en general, olores, gustos, colores, sonidos y sentimientos de un ecosistema, tal y como los percibimos los humanos, son diferentes de su apariencia para aquellas criaturas que habitan en el sistema y que son capaces de percibirlos, y no significan nada para aquellos seres vivientes que no pueden percibirlos, pero forman parte esencial del sistema.

La idea de que cada ecosistema (u otros sistemas naturales) posee un valor estético general positivo no implica nada acerca del valor estético de los ítems naturales que contiene considerados por sí mismos –en particular, que estos sean siempre positivos–. Pero la significación estética de tales valores, no siempre positiva, quedaría socavada si, desde el punto de vista estético, cualquier ítem natural en un ecosistema debiera ser considerado propiamente, no en sí mismo, sino en relación al ecosistema del cual forma parte[15] (o al entorno natural de su creación)[16]. Sin embargo, no hay nada en la noción de apreciación estética que permita este requerimiento: la idea de la apreciación estética de la naturaleza como naturaleza –como lo que la naturaleza realmente es– no implica que cada hecho natural acerca de un ítem natural, y en particular su rol en un ecosistema, sea relevante en la apreciación estética de ese ítem (como siendo natural), y así debe ser tomado en cuenta si se pretende que la apreciación estética de ese ítem natural no sea defectuosa o superficial. Es cierto que, de la misma manera en que la apreciación de una obra de arte requiere que sus partes sean consideradas estéticamente en el contexto completo de la obra, del mismo modo, la apreciación estética de un ecosistema requiere que cualquier ítem natural en él sea considerado estéticamente a la luz de su rol en aquel sistema. Pero esto no conduce a la conclusión deseada, que no es un requerimiento condicionado, sino incondicionado.

3.5. Libertad y relatividad en la apreciación estética de la naturaleza

¿Qué es, entonces, el valor estético de la naturaleza? Me limitaré a los ítems naturales, más que a secuencias de eventos, y me centraré principalmente en la visión, aunque reconozco que los otros sentidos juegan un rol significativo en la experiencia estética

---

[15] «Cada ítem debe ser visto no en marco aislado, sino enmarcado por su entorno, y este marco a su vez se convierte en parte de una imagen mayor que debemos apreciar –no un marco, sino una obra dramática» (Rolston III, 1988: 239). Como señala Yuriko Saito (Saito, 1998), la consecuencia natural de esta línea de pensamiento es que el propio objeto de apreciación estética se halla en la entera ecoesfera global (si no en alguna porción mayor de la naturaleza).

[16] Un requerimiento altamente inverosímil impuesto sobre ítems orgánicos e inorgánicos por el modelo natural-ambiental de Allen Carlson (Carlson, 1979a). Véase ensayo 4, §9.

de la naturaleza[17]. Si la apreciación estética de la naturaleza es apreciación de las propiedades estéticas y del valor estético de un ítem natural *qua* la cosa natural que es, la cuestión es qué propiedades y qué valor estético posee el ítem. Para lo cual necesito presentar una tesis acerca de las propiedades y valores estéticos de los ítems naturales que anteriormente presenté, pero que no elaboré.

Primero, es necesario clarificar la tesis de Walton acerca de la relación entre las propiedades estéticas de una obra de arte y las categorías artísticas a las que pertenece, dado que no está apropiadamente representada por la formulación que dice que una obra posee realmente aquellas propiedades estéticas que parece poseer cuando es percibida según las categorías correctas por un observador debidamente sensible. Esto no sería suficiente porque, en primer lugar, la obra puede no estar en óptimas condiciones, y, en segundo lugar, las condiciones de observación podrían no ser las adecuadas. Así pues, la tesis sería que las propiedades estéticas reales de una obra son aquellas puestas de manifiesto para un observador, bien informado y debidamente sensible, el cual percibe la obra según las categorías correctas, en las condiciones adecuadas y en el momento correcto.

Ahora bien, una cuestión con la que una defensa de la estética positiva se debe comprometer es la del nivel adecuado de observación en el que se supone han de aparecer las cualidades estéticas de un ítem natural al observador informado. Un grano de arena, a simple vista, carece de gran atractivo estético, como muchas otras cosas naturales, pero un microscopio nos capacita, si no para «ver el mundo en un grano de arena» (William Blake, «Augurios de inocencia»), al menos, sí para ver su microestructura (a un cierto nivel), y esto es similar a tener un mayor atractivo estético que el de su apariencia a simple vista. De manera similar, una gota de agua de un lago contiene una multitud de organismos visibles bajo un microscopio, los cuales poseen propiedades estéticas de varios tipos y constituyen una posible fuente de valor estético. La estética positiva con respecto a la naturaleza sería más plausible

[17] Si el valor estético es valor estético para los seres humanos, varias restricciones sobre el alcance de la doctrina de la estética positiva necesitarían evitar posibles contraejemplos plasmados desde los otros sentidos —olores o gustos que todos los seres humanos encuentran físicamente nauseabundos, por ejemplo.

143

si mantuviera que cada cosa natural, en algún nivel de observación, tiene un valor estético positivo. Pero el nivel de observación solamente es uno de los muchos factores que afectan al atractivo estético y a las cualidades estéticas que una cosa natural manifiesta: otros factores relevantes incluyen la distancia del observador respecto del objeto, el punto de vista del observador y la naturaleza de la luz que ilumina el objeto. Además, no solamente varía la apariencia de las cosas naturales bajo diferentes condiciones de observación, sino que las cosas naturales mismas padecen cambios que a su vez producen que desplieguen cualidades estéticas diferentes en momentos diferentes y las hacen más o menos atractivas estéticamente[18]. Así, las cualidades estéticas que un ítem natural manifiesta son relativas a las condiciones de tiempo y observación.

La transferencia a la naturaleza de la tesis de Walton, acerca de las propiedades estéticas que las obras de arte poseen, debe acomodarse a un diferencia crucial entre la apreciación del arte y la apreciación estética de la naturaleza, vinculada con una disanalogía entre la forma en la que funcionan las categorías artísticas y las categorías naturales, en la determinación de las propiedades estéticas y del valor de aquellos ítems a los que pertenecen. Mientras que las obras de arte son, o bien inmutables (si es que son tipos) o, si están sujetas a cambio, poseen una condición óptima estándar –al menos, de acuerdo a la intención de su creador– en la que sus propiedades estéticas se manifiestan, la naturaleza no solamente está siempre cambiando, sino que no posee condiciones óptimas en las que sus propiedades estéticas se manifiesten, y, mientras que ciertas condiciones y formas de observación son, en general, privilegiadas o excluidas para las obras de arte, esto no sucede así con las cosas naturales. Las categorías naturales no funcionan para determinar parcialmente las propiedades estéticas reales de los ítems naturales, tal y como las del arte lo hacen con las obras de arte. Que los ítems naturales no estén diseñados con el propósito de ser apreciados estéticamente los libera de las limitaciones que gobiernan la apreciación estética de las obras de arte: las categorías del

---

[18] De hecho, el carácter pasajero de los fenómenos naturales, el poder de permanencia de un objeto natural, o su longevidad, pueden ser por sí mismos aspectos de su atractivo estético.

arte prescriben cuál es la manera apropiada de la apreciación artística del mismo modo que las categorías de la naturaleza no prescriben cuál es la forma apropiada de apreciar estéticamente la naturaleza. La apreciación estética de la naturaleza está, por tanto, dotada de una libertad negada a la apreciación artística: en una sección del mundo natural somos libres para enmarcar los elementos como nos plazca, para adoptar cualquier posición o movimiento, de cualquier manera, en cualquier momento del día o de la noche, en cualquiera que sean las condiciones atmosféricas, y de utilizar cualquier modalidad sensible, sin por ello incurrir en el error de malinterpretarlo. Ningún aspecto visible o cualidad, estructura del ítem, interior o exterior, percibida a cualquier distancia y en cualquier dirección, se considera irrelevante en la apreciación estética del ítem por el requerimiento de que sea apreciado como la clase de cosa natural que es. Y lo mismo es verdadero, *mutatis mutandis*, para las otras modalidades sensibles, en la medida en que la percepción de gusto, olor, textura, movimiento, presión y calor caen dentro de las fronteras de la estética. El hecho de que un objeto haya de ser apreciado como una pintura significa que su peso es irrelevante, como también lo es su olor, sabor y sentir si es cálido o frío; pero el hecho de que un objeto haya de ser apreciado estéticamente como un río o como un árbol en sí mismo no excluye ningún modo de percepción, ni tampoco ningún aspecto perceptivo del objeto. Resumiendo, mientras que las categorías artísticas descalifican ciertas modalidades sensibles –la estructura interna, la apariencia bajo distintas condiciones y desde varias distancias, etc.–, las categorías de la naturaleza no lo hacen.

Si la apreciación estética apropiada es «la apreciación del objeto que revela qué cualidades y qué valor estéticos posee» (Carlson, 1984: 25), entonces, en general, no existe una cosa que sea la apreciación estética apropiada de la naturaleza. No existen las cualidades y el valor estéticos de la naturaleza, en el sentido en el que existen las cualidades y el valor estéticos de una obra de arte. Por supuesto, el valor verdadero de un juicio estético acerca de un ítem natural puede ser entendido (como suele hacerse) como relativo a un momento temporal particular, o a un estadio en la historia natural del ítem, a un modo sensorial, un nivel y una manera de observación, y a un aspecto perceptivo. Pero si no, la idea del valor estético de un ítem natural está mal definida. ¿En qué consisten las cualidades estéticas y el valor estético de una galaxia particular *qua* galaxia, un planeta *qua* planeta, una montaña *qua* montaña, una nube *qua* nube, un río *qua* río, un mango *qua* mango?[19] Quizá la única concepción viable del valor estético de un ítem natural *qua* el ítem natural que es, representa este valor como función de la totalidad de cualidades estéticas negativas y positivas poseídas por el ítem como instancia de su clase. Si es así, la indefinición multifacética de esta función subraya el carácter problemático de una estética positiva de la naturaleza.

[19] ¿Es la apariencia de estrella de un planeta en la salida y la puesta de sol un aspecto del valor estético del planeta *qua* planeta –o quizá de la estrella *qua* estrella–? ¿Son los reflejos de los árboles sobre la orilla un aspecto del valor estético de un río *qua* río?

4

Estética de la naturaleza: una visión general

«nor ever yet
The melting rainbow's veranl-tinctured hues
To me have shone so pleasing, as when first
The hand of ciencia pointed out the path
In which the su-beams gleaming from the west
Fall on the wat'ry cloud»[1]

Mark Akenside, «The Pleasures of Imagination»

4.1. Introducción

El largo período de estancamiento en el que la estética de la naturaleza cayó después de que Hegel relegara la belleza natural a un estatus inferior al de la belleza artística finalizó con el texto fundacional de Ronald Hepburn (1966). En este ensayo, que ofrece un diagnóstico de las causas del rechazo de la filosofía a la estética de la naturaleza, Hepburn describe un número de clases de experiencias estéticas de la naturaleza que exhiben una variedad de rasgos que distinguen a la experiencia estética de la naturaleza de la del arte y la dotan de valores diferentes de aquellos característicos de las artes, poniendo de manifiesto las perniciosas consecuencias del rechazo de la belleza natural. La sutileza del pensamiento de Hepburn excluye el simple sumario, y yo no haré aquí más que

---

[1] Nunca antes/ el arco iris fundente de tonos primaverales/ se me mostró tan bello, a como cuando por primera vez/ la ciencia señaló el camino/ en el que los rayos de sol brillando desde el oeste/ cayeron sobre la acuosa nube.

enumerar unos cuantos de sus temas, recogidos y desarrollados en la literatura, ahora floreciente, de la estética de la naturaleza, aunque no siempre con el tratamiento matizado que les concedió Hepburn. Primero, se da la idea de que, al estar en y ser parte ella, nuestra implicación estética con la naturaleza se da, normalmente, como actores y como espectadores a la vez. Segundo, se da la idea de que, en contraste con lo que resulta típico para las obras de arte, las cosas naturales no se separan de sus entornos como objetos de interés estético –en otras palabras, no tienen marco–. Tercero, se da la idea de que la experiencia estética de la naturaleza no debería estar restringida a la contemplación de formas, colores, patrones y movimientos no interpretados. Finalmente, se da la idea de que la apercepción imaginativa de las fuerzas y procesos que son responsables de la apariencia estética de una cosa natural, o que están activas en un fenómeno natural, es una actividad principal en la experiencia estética de la naturaleza.

4.2. Una estética de la implicación

Arnold Berleant (1993) enfatiza las dos primeras de estas ideas en el curso de la propuesta de lo que denomina una estética de la implicación para la apreciación estética de la naturaleza (algo que también recomienda como modelo para la apreciación del arte), la cual representa al sujeto estético como participante activo en una clase de inmersión perceptiva en el mundo natural, con un sentido de continuidad del propio sujeto con las formas y procesos de la naturaleza, al contrario que la estética tradicional, una estética de la contemplación desinteresada, en la que el sujeto es un observador distanciado de un objeto de interés estético claramente circunscrito. Sin embargo, aunque la apreciación estética de la naturaleza a menudo requiere que el sujeto sea un participante activo más que un espectador estático, la estética de la implicación no es resultado del sólido desarrollo de estas dos ideas y padece de tres defectos principales. Primero, como Hepburn ha insistido (1998), estar esencialmente *en* el paisaje y no, de nuevo, frente a él, no evita que nuestra experiencia estética sea contemplativa, como a menudo lo es con razón. Segundo, la concepción principal de la noción de desinterés

148

en la tradición estética es la de Kant, de acuerdo con la cual una respuesta afectiva positiva hacia un ítem es desinteresada, si y solo si no es, o no es solo, placer en la satisfacción de un deseo de que el mundo sea de cierta manera. Y desinterés de la respuesta en ese sentido no solo es compatible con los distintos aspectos de la implicación que Berleant articula como estéticos, sino que es una condición que, parece, debe satisfacer cualquier comprensión satisfactoria de la noción de respuesta estética. Tercero, el rechazo de Berleant, tanto de la contemplación, como del desinterés, emparejado con el fallo de no reemplazarlos con alternativas que sean componentes viables de la experiencia o apreciación específicamente estética, descalifica su estética de la implicación con la naturaleza como aceptable, ya sea como concepción de la apreciación de la naturaleza, ya como concepción de la experiencia estética de la naturaleza.

4.3. El formalismo ambiental

Una versión de la concepción, rechazada por Hepburn, de que la apreciación estética consiste en la apreciación estética de cosas no interpretadas –cosas consideradas independientemente de las clases que ejemplifican– es el formalismo. El formalismo ambiental es formalismo acerca de la apreciación y evaluación estética del entorno natural. Allen Carlson (1979b) ha desarrollado un argumento contra el formalismo del entorno construido sobre las dos ideas iniciales de Hepburn mencionadas anteriormente. El formalismo mantiene que (i) la apreciación estética debe dirigirse hacia aquellos aspectos que constituyen la forma de un objeto, y (ii) el valor estético de un objeto está completamente determinado por sus cualidades formales. La forma percibida de un objeto consiste en «formas, patrones y diseños». Las cualidades formales son «cualidades de tales formas, como estar unificadas o ser caóticas, equilibradas o desequilibradas, armoniosas o confusas». Así, las cualidades formales son cualidades que los objetos o las combinaciones de objetos tienen en virtud de sus formas, patrones y diseños. Además, estas surgen de, o consisten en, las relaciones entre las cualidades sensoriales de los objetos –cualidades de texturas, colores y líneas–. Así, en un sentido más amplio, la forma percibida de un objeto consiste en texturas, colores, líneas, formas, patrones y diseños. Esta es la noción más amplia de forma percibida que figura en la comprensión de Carlson de la doctrina formalista. Por consiguiente, el formalismo del entorno sostiene que en la apreciación estética del entorno natural uno debe abstraerse de la naturaleza de los ítems que componen el entorno –tierra, agua, vegetación o colinas, valles, ríos, árboles, etc., y debe centrarse, exclusivamente, en la forma percibida del entorno, sus líneas, colores y texturas y las relaciones que mutuamente se establecen, y que un fragmento de naturaleza es atractivo estéticamente en la medida en que su forma percibida sea unificada, equilibrada, posea unidad en la variedad, o lo que sea, y no es estéticamente atractivo en la medida en que no sea armonioso o carezca de integración.

La esencia del argumento de Carlson contra el formalismo ambiental es esta: una diferencia crucial entre los objetos artísticos tradicionales y el entorno natural es que mientras que las obras de arte están «enmarcadas o delimitadas de algún modo formal», el entorno natural no lo está. Y esto implica una diferencia entre las cualidades formales de las obras de arte tradicionales y las del entorno natural, dado que las cualidades de una obra de arte tradicional «están determinadas en gran parte por el marco»: están o no unificadas o equilibradas dentro de sus marcos y en relación a ellos. Por tanto, las cualidades formales de una obra, el reconocimiento de qué debe sustentar una evaluación correcta de la obra, «son un aspecto determinado importante de la obra misma» y así puede ser fácilmente apreciado. Por el contrario, es solamente una visión enmarcada del entorno natural, no el entorno mismo, lo que posee cualidades formales: cualquier parte del entorno puede ser vista desde posiciones indefinidas y diferentes y enmarcado de muchas formas diferentes, y cualesquiera que sean las cualidades que pueda parecer poseer, estas serán relativas al marco y a la posición del observador, pareciendo unificado o equilibrado desde una posición, enmarcado de cierta manera, caótico o desequilibrado desde otra posición cuando se enmarque de forma distinta.

Ahora bien, la conclusión de que el entorno natural no posee, él mismo, cualidades formales, sino que solamente parece poseerlas cuando está enmarcado desde posiciones particulares, no parece hacer mucha mella, si le hace alguna, a la doctrina del formalismo ambiental, dado que el formalista puede aceptar la relatividad de las cualidades formales respecto de los marcos y de los puntos de vista, y, con ello, la necesidad de enmarcar la apreciación estética, pero todavía mantiene que la apreciación estética del entorno natural consiste en la apreciación de cualidades formales –las distintas cualidades formales presentadas por el entorno diversamente enmarcado desde cualquier punto de vista que un observador elija–. Además, nadie intentaría apreciar estéticamente el entorno natural (entero) como tal. Más bien, uno se implica en la apreciación estética de algún segmento de él, quizá con la de un ítem singular, tal como un árbol, una nube, o un iceberg, o con la de un pequeño grupo de ítems, que poseen cualidades formales, considerados en sí mismos, independientemente de su ubicación en el entorno. Y si ninguna segmentación del entorno natural puede ser incorrecta desde el punto de vista estético, una apreciación de las cualidades estéticas de un segmento del entorno natural no enmarcado no solo es posible, sino impermeable frente al criticismo estético.

La conclusión que Carlson apoya es la afirmación más fuerte de que el entorno natural como tal no posee cualidades formales, queriendo decir con ello que, *cuando se aprecia estéticamente de la forma correcta, no es posible* verlo como poseyendo ninguna cualidad formal. Su argumento se desarrolla como sigue a continuación: el modo apropiado de apreciación del entorno natural es «la apreciación activa implicada de alguien que está en el entorno, siendo una parte de él y reaccionando a él». Pero:

> al enmarcar una sección del entorno, uno debe convertirse en observador estático, separado de esa sección, y verlo desde un punto externo específico. Sin embargo, uno no puede comprometerse en la apreciación activa e implicada mientras mantenga el punto de vista estático que requiere el enmarque. Resumiendo, uno no puede a la vez estar en el entorno que aprecia y enmarcar ese entorno; si uno aprecia el entorno por estar en él, no aprecia un entorno enmarcado (109-10).

Ahora bien, este argumento no es convincente. Es cierto que cuando estamos rodeados por el entorno natural podemos interactuar con él, y debemos ser activos en él, si no queremos perdernos aspectos no perceptibles desde la posición que ocupemos en un determinado momento. Pero eso no significa que debamos estar constantemente en movimiento para considerar que apreciamos la naturaleza estéticamente del modo apropiado. Incluso si el modo apropiado de apreciación estética del entorno natural es del tipo de implicación activa, no se debería entender que ello conlleva que uno nunca pueda convertirse en observador estático, bajo pena de perder el derecho propio de ser considerado como alguien implicado en la apreciación estética del entorno. No hay nada malo en ser observador estático de un horizonte siempre cambiante, o de una erupción volcánica; elegir un punto en el que pararse y desde el que contemplar la escena forma parte de la apreciación estética del entorno natural, no es algo incoherente con ella. Así, Carlson no ha establecido que el entorno natural no pueda ser apreciado y evaluado estéticamente en términos de sus cualidades formales porque el modo de apreciación estética apropiado lo excluya.

Sin embargo, la insistencia del formalismo ambiental en que la apreciación estética del entorno natural no debe ser dirigida a ítems en el entorno, conceptualizados como lo que son (nubes, árboles, valles, etc.,) es ciertamente injustificada, producto de una concepción de la apreciación estética que, sin justificación adecuada, restringe la experiencia estética a la experiencia de ítems en abstracción de las clases que ejemplifican, una concepción poco más adecuada a la apreciación estética del entorno natural que a la del arte.

4.4. Las cualidades expresivas de la naturaleza

La alternativa que Carlson propone (1979b) frente al formalismo del entorno es que el entorno natural debe ser apreciado y valorado estéticamente en términos de sus distintas cualidades estéticas no formales, como sus cualidades expresivas (serenidad y majestuosidad, por ejemplo) y cualidades como la gracia, la delicadeza y la estridencia. Por consiguiente, «de cara a apreciar y valorar la cualidad estética del entorno, deberemos valorar cualidades como la gracia del antílope, la delicadeza de una flor, o la austeridad de un paisaje desértico, la serenidad de un prado tranquilo, o la presencia amenazadora del cielo antes de una tormenta» (Carlson, 1977: 158). Una debilidad de esta propuesta es la incertidumbre acerca del rango y la naturaleza de las cualidades expresivas. Si la austeridad es simplicidad severa, la serenidad es tranquilidad (falta de disturbancias), lo amenazador posee la propiedad de atemorizar y la majestuosidad la de ser grande (imponente), entonces (i) el paisaje de un desierto es *literalmente* austero (severamente sencillo), un prado tranquilo, sereno (sin disturbancias), el cielo previo a la tormenta, amenazador (indicativo de una amenaza próxima), y una cadena de montañas, majestuosa (impositiva en virtud ser tan grande e inspiradora de miedo, respeto o sobrecogimiento), y (ii) ninguna sensibilidad específicamente estética es necesaria para detectar la austeridad, la serenidad, la amenaza y la majestuosidad de forma que en un sentido de lo estético no son cualidades estéticas. Pero si esto es típico de las llamadas cualidades expresivas, estas se limitarán a aquellas cualidades que posean los ítems *literalmente* un uso no estándar de la noción y que, parece, Carlson mismo no abraza. Puesto que allí donde Carlson aclara la idea de cualidad expresiva, al defender que el término «cualidad expresiva» se refiere a «un amplio rango de valores, emociones y actitudes humanas que se asocian con objetos de manera que resulta apropiado decir que un objeto expresa esos valores, emociones y actitudes», cita la expresión musical de tristeza, melancolía o alegría como ejemplos y afirma que el «concepto relevante de expresión es el del tipo inicialmente clarificado por Santayana» (Carlson, 1976: 75-6, 82, nota final 12). Y esto sugiere que o la clase de comprensión sugerida arriba de austeridad, serenidad, amenaza y majestuosidad está equivocada —«majestuoso» podría, por supuesto, entenderse como aportando las ideas de dignidad y nobleza, propiedades que la montaña no posee literalmente—, o que en la noción de Carlson de cualidades expresivas se acomodan clases de cualidades heterogéneas. Es lamentable que, a pesar de que en años recientes se ha realizado un considerable cuerpo de trabajo sobre la expresión en el arte, no se ha aportado ninguna visión satisfactoria de la experiencia de la naturaleza como portadora de propiedades expresivas (a pesar del notable intento de Wollheim (1991), criticado por Budd (2001a)).

Ahora bien, como quiera que la noción de cualidad expresiva debería ser mejor entendida, se sigue de otra observación de Carlson que, dada la relevancia estética para la apreciación de la naturaleza de las cualidades no formales indicadas, la apreciación estética

153

de la naturaleza no puede limitarse a las cualidades perceptibles en ítems no conceptualizados o en abstracción de las clases de cosas que son. Ya que la percepción de cualidades no formales diversas requiere de una cierta cantidad de conocimiento de la naturaleza del entorno, o del fragmento de naturaleza apreciado:

alguien que solamente tiene sensibilidad perceptiva puede ser capaz de ver el equilibrio de un paisaje de montaña, sin tener demasiado conocimiento del entorno en cuestión. Pero para sentir la determinación y la tenacidad expresadas por los árboles que crecen en las laderas de las montañas se requiere, además de sensibilidad, un conocimiento y entendimiento de tales árboles y de las condiciones bajo las cuales se aferran a la vida. La percepción de la majestuosidad y el poder de una sierra es mejorada, si no hecha posible, por el conocimiento de su tiempo de existencia y de las fuerzas de las que surge. De forma similar, ciertos prados y claros de bosque nos impresionan como cálidos y serenos, una vez que sabemos que son hogares relativamente seguros y tierras fértiles para las criaturas que lo habitan. Pero si supiéramos más bien que estos mismos espacios abiertos fueron evitados por tales criaturas por miedo a los depredadores, expresarían cualidades muy diferentes –quizá tensión o amenaza (Carlson, 1977: 152).

Además, el carácter incierto de las cualidades expresivas no debilita por sí mismo la fuerza de dos argumentos que Carlson ha desarrollado, en los que figuran las cualidades expresivas, una dirigida específicamente contra el formalismo del entorno, la otra no. El argumento específicamente dirigido contra el formalismo del entorno (Carlson, 1977) mantiene que el formalismo no puede explicar la pérdida de valor estético del entorno natural causado por las diversas intrusiones humanas, como la construcción de un tendido eléctrico que lo atraviese. Dado que, desde un punto de vista formalista, un tendido eléctrico puede no solo ser estéticamente atractivo en sí mismo, sino que, tomado a la vez que su entorno, constituye un diseño formal estéticamente atractivo, quizás, ayudando, incluso, a enmarcar o equilibrar una visión del paisaje. Así pues, ¿qué explica la pérdida de valor estético? La respuesta de Carlson es: «las cualidades estéticas no formales del entorno natural afectadas por la presencia actual del tendido eléctrico y/o por sus propias cualidades estéticas no formales»:

por ejemplo, un entorno natural relevante puede poseer ciertas cualidades expresivas gracias a su lejanía, aparente o real, pero la expresión de estas cualidades podría quedar inhibida ante la presencia del tendido eléctrico, o este puede poseer por sí mismo ciertas cualidades expresivas que, a diferencia de sus cualidades formales, no «encajan» con las cualidades expresivas del entorno natural (159).

Así pues, la idea es que las cualidades expresivas del tendido eléctrico, quizás agresión y fuerza, pueden ser incogruentes con las cualidades expresivas del entorno natural, quizá con la tranquilidad.

El otro argumento de Carlson (1976) es una defensa de la idea —el argumento de lo que hace daño a la vista— de que una buena razón de por qué debe limpiarse el entorno natural de los detritus humanos que lo ensucian es porque (i) la basura no es estéticamente agradable, y (ii) un entorno estéticamente agradable es preferible a uno que no lo sea. La línea de ataque sobre el argumento que a Carlson le preocupa refutar explota una forma particular de esteticismo, la *sensibilidad Camp*, definida por Susan Sontag (1964) como «la sistemática experiencia estética del mundo», que puede transformar la propia experiencia de tal forma que lo que era estéticamente desagradable o no placentero se convierta en estéticamente agradable —como sucede con «las imágenes de las postales del cambio de siglo», «los viejos cómics de Flash Gordon», «bufandas de plumas» y los «dibujos de Aubrey Beardsley» (ejemplos de Sontag)—. Objetos que podrían considerarse carentes de atractivo estético, o de mal gusto, si son observados de forma nueva —una que enfatice la «textura, la superficie sensual y el estilo a expensas del contenido» (Sontag) o busque las cualidades simbólicas o expresivas de los objetos— pueden convertirse en fuente de gratificación estética, de manera que «la muñeca *kewpie*, las postales de navidad, las lámparas de Tiffany, pueden ser disfrutadas estéticamente no por su belleza, sino por sus cualidades más extrañas y por ser reflejo implícito de actitudes sociales» (Beardsley, 1970). La objeción que Carlson desea refutar es que hay una alternativa barata para eliminar el rechazo inicial: si lo rechazado es inicialmente hallado como desagradable estéticamente, basta desarrollar la sensibilidad Camp de forma que el rechazo se convierta en estéticamente agradable. Carlson se enfrenta a esta objeción de dos formas. La primera concede que la alternativa Camp a limpiar el entorno funciona bien contra el argumento de lo que daña a la vista en el sentido de que algo puede ser estéticamente placentero en virtud de sus colores, formas, texturas, patrones (el sentido «delgado»), pero no en el sentido de que algo puede ser estéticamente placentero en virtud de estas y de sus cualidades expresivas (el sentido «grueso»)[2]. Puesto que (i) las cualidades expresivas de la basura son cualidades tales como desperdicio, indiferencia y descuido, y (ii) aunque la sensibilidad Camp puede hacernos más conscientes de tales cualidades, la mayoría de nosotros no somos capaces de disfrutar estéticamente de su expresión. Además, si somos incapaces de encontrar un objeto agradable estéticamente en el sentido grueso debido a la naturaleza negativa de sus cualidades expresivas, esto a menudo hace difícil o imposible que disfrutemos estéticamente del objeto en el sentido delgado. Por tanto, si la sensibilidad Camp nos hace más conscientes de las cualidades expresivas negativas de un ítem hará que seamos incapaces de disfrutar estéticamente de él en absoluto. En concordancia, un objeto con tales cualidades expresivas negativas no puede ser disfrutado estéticamente por adoptar la sensibilidad Camp. Sin embargo, dado que este argumento depende de dos afirmaciones empíricas que pueden ser contestadas, Carlson ofrece el siguiente sketch de una línea argumental alternativa –un argumento estético-moral–. Disfrutar estéticamente las cualidades expresivas de los residuos sería aprobar los valores y actitudes que son responsables de ellas y en virtud de las cuales poseen estas cualidades expresivas, dado que el disfrute estético de algo va contra el deseo de eliminarlo. Pero estos valores y actitudes –desperdicio, indiferencia y desatención– son moralmente inaceptables y aprobar lo moralmente inaceptable es por sí mismo moralmente inaceptable. De acuerdo con ello, incluso si fuera posible disfrutar estéticamente de la basura (en el sentido delgado), moralmente no deberíamos hacerlo.

Carlson (1977) y, hasta cierto punto, su (1976) han sido críticamente examinados por Yuriko Saito (1984). Pero el foco de esta

---

[2] Carlson considera que la basura de la carretera es desagradable debido principalmente a sus cualidades expresivas [negativas].

se desplaza del desafortunado intrusismo de la humanidad en la naturaleza a la destrucción de la naturaleza. Y el dilema con el que ella termina por encarar a Carlson –si adoptamos un punto de vista puro, un trato abusivo de la naturaleza no siempre estropea el valor estético de la naturaleza; pero si el juicio estético es afectado por consideraciones éticas, es por razones éticas, no estéticas, por lo que es indeseable un tratamiento abusivo de la naturaleza– es inefectivo contra una posición, abrazada por Carlson (1986), que no concibe la estética como un reino impermeable a las consideraciones éticas.

4.5. La apreciación estética de la naturaleza como naturaleza

Puesto que no se debería pensar en la apreciación estética de la naturaleza como la apreciación estética de conjuntos de cosas no interpretadas, ¿cómo debería entenderse? Una concepción sorprendentemente popular, que alinea la apreciación estética de la naturaleza junto a la apreciación del arte, representa la apreciación estética de la naturaleza contemplada como si fuera arte. Esta concepción a menudo es construida sobre afirmaciones sobre la esencia del interés estético o de la naturaleza de la actitud estética. Por ejemplo, Stephen Davies afirma que «un interés estético es un interés en algo por el mero placer de contemplarlo como una obra de arte (si se trata de una) o como si fuera una obra de arte (si no lo es). (Davies, 1991: 49). Y Richard Wollheim (1980, §§40-2), quien interpreta la actitud estética como la actitud de contemplar algo como una obra de arte, mantiene que «casos en los que lo que contemplamos como obra de arte es, de hecho, una pieza de naturaleza no creada» son casos periféricos o secundarios de la actitud estética (siendo los casos centrales aquellos donde lo que es contemplado como obra de arte ha sido producido como tal). Por tanto, adoptar la actitud estética frente a alguna porción de naturaleza es contemplar esa porción de naturaleza como si fuera una obra de arte[3].

---

[3] Esta concepción de la esencia del interés estético o de la naturaleza de la actitud estética, que presupone la prioridad lógica del concepto de arte sobre el de

Ahora bien, es indudablemente cierto, como ha sido observado frecuentemente, que la apreciación estética del mundo natural ha estado influenciada, en ciertos momentos, por la representación de la naturaleza en el arte, conduciendo a la gente a apreciar aspectos antes rechazados de la naturaleza o a ver la naturaleza como ha sido representada por el arte (como sucede con el uso, en el siglo dieciocho, de «las gafas de Claude») –aunque esta influencia parece haber estado restringida más o menos al paisaje, más que a la flora y fauna individuales, digamos, y los influidos eran los observadores de ciertos estilos de arte pictórico, no los artistas responsables de ese arte. Pero incluso si esta influencia hubiese sido mucho más amplia, no daría licencia a la identificación de la apreciación estética de la naturaleza con la apreciación de la naturaleza como si fuera arte[4]. Más aún, está claro que cualquier versión de la concepción de que la apreciación estética de la naturaleza consiste en contemplar la naturaleza como si fuera arte es defectuosa. Primero, la afirmación de que esa es de hecho la forma en que apreciamos la naturaleza cuando la apreciamos estéticamente es vulnerable al cargo de que no es fiel a la fenomenología de la experiencia estética de la naturaleza –al menos, al carácter de la mía y la de otros muchos. Para mí, la apreciación estética de la naturaleza está impregnada con una conciencia no borrosa de que la naturaleza no es producto del hacer de los hombres, sino un producto de fuerzas y procesos naturales, y de que lo que me confronta incluye una profusión asombrosa de tipos y formas de vida notablemente diferentes de la

lo estético, es vulnerable al argumento que Frank Silbey ofrece en contra (Silbey, 2001b).

[4] Stephen Davies (1994: 246, n. 56) ha afirmado que «apreciamos sonidos naturales estéticamente solo por aproximarnos a ellos como si fueran musicales, lo cual significa escucharlos a través de las convenciones musicales en las que estamos educados. Personas de diferentes culturas musicales escuchan los sonidos naturales de formas diferentes. Igual que no puede haber respuesta naif alguna a las obras musicales *qua* música, no puede haber respuesta estética naif alguna a los sonidos naturales». Pero la afirmación es demasiado fuerte. Incluso en el caso del canto de un pájaro, el cual Davis tiene en mente principalmente, nuestra experiencia musical no necesita moldear nuestra percepción o fallaremos en responder estéticamente a los sonidos.

nuestra. Segundo, no podría haber un argumento correcto que nos llevara del hecho innegable de que es posible contemplar un objeto natural como si fuera una obra de arte a concluir que así es como debemos o deberíamos contemplar los objetos naturales cuando tenemos experiencia estética de ellos[5]. Además, la afirmación de que así es como *debemos* apreciar la naturaleza porque no hay alternativa para apreciarla estéticamente es manifestamente falsa. Y la afirmación de que así es como *deberíamos* apreciar estéticamente la naturaleza si queremos derivar la mayor satisfacción estética o encontrar el mayor valor estético en la naturaleza, permanece sin apoyo, sin nada que decida a favor de su actitud hacia la naturaleza más que a la de otras alternativas.

El rechazo de esta concepción de la apreciación estética de la naturaleza hace surgir la cuestión de cuál es la alternativa correcta. La alternativa obvia es que la apreciación estética de la naturaleza debería entenderse como la apreciación estética de la naturaleza *como* naturaleza –en particular, la apreciación estética de un ítem natural *como el ítem natural que es*[6]–. (Compárese con la apreciación artística, que es la apreciación del arte *como* arte, de manera que, en concordancia, la apreciación artística de una obra de arte particular es la apreciación de esa obra, *como la obra de arte que es*, lo que implica experimentarla bajo el concepto del tipo de obra que es, como un pintura más que como una fotografía en color, por ejemplo.) Esta concepción de la apreciación estética de la naturaleza no implica que cada ítem natural deba ser apreciado bajo un concepto de la clase de ítem natural que es. De hecho, esa tesis, si entendemos que implica que tal apreciación es necesaria para discernir las verdaderas propiedades estéticas del ítem, se enfrentaría a considerables dificultades, algunas de las cuales surgirán más tarde. Además de cualquier otra consideración, en el caso de ítems naturales diversos resulta difícil ver qué estaría implicado y qué se obtendría de apreciarlos bajo un concepto de la clase de ítem natural que son. Sin embargo, para una clase importante de ítems naturales, a saber, las formas de vida, no solo es fácil ver qué estaría implicado y qué obtendríamos de apre-

---

[5] Véase ensayo 3, §2.
[6] Véase ensayo 1.

ciarlas bajo conceptos de los ítems naturales que son, sino que esa táctica se recomienda a sí misma[7].

Podemos pensar que hay otra tesis implicada inmediatamente en la concepción de la apreciación estética de la naturaleza *como* naturaleza. Dado que el mundo natural no ha sido diseñado para ser objeto de interés estético, entonces si el mundo natural ha de ser apreciado *como lo que es*, debe ser reconocido como habiendo sido formado por, y ser un lugar permanente de procesos físicos, químicos, geológicos, ecológicos, meteorológicos, y de procesos evolutivos, todo los cuales tienen lugar en completa indiferencia al observador estético. Puede parecer que se sigue de aquí que cualquier instancia de apreciación estética de la naturaleza como naturaleza que no sea superficial debe estar informada por una comprensión de los procesos naturales que la han hecho surgir y que están trabajando en el objeto de apreciación, de forma que a mayor comprensión, mayor apreciación. Pero esta conclusión se seguirá solamente si la apreciación *estética* de la naturaleza es superficial, a no ser que el conocimiento del origen del ítem y de las fuerzas responsables de su apariencia informen la observación del ítem de esa persona, y solo si la apreciación estética es más profunda, cuanto más penetrada esté por y si es producto de tal conocimiento. Y esa condición es cuestionable[8].

4.6. Las categorías naturales y la objetividad

Carlson (1981) discute a favor de esta concepción de la apreciación estética de la naturaleza y a la vez la usa para rebatir la visión de que, mientras que los juicios estéticos sobre las obras de arte –juicios acerca de las propiedades estéticas de las obras– aspiran a y son capaces de ser objetivamente verdaderos, los juicios estéticos de la naturaleza están condenados a la relatividad. En otras palabras, la visión que discute es la de que mientras que una obra de arte realmente posee ciertas propiedades estéticas, de manera que es directamente verdad, que es exuberante, serena o llena

---

[7] Véase ensayo 1, §6.
[8] Véase §8.

de misterio, por ejemplo, los ítems naturales pueden ser adecuadamente pensados como poseedores de ciertas propiedades estéticas, solo en relación a cómo se encuentre alguien que perciba ese ítem. Su argumento se refiere a ideas desarrolladas por Kendall Walton.

Walton (1970) ha mostrado, con respecto a las obras de arte, que (i) las propiedades estéticas que un ítem parece poseer –aquellas propiedades estéticas que percibimos o experimentamos que el ítem posee– son función de la categoría o categorías bajo las cuales es experimentado (es decir, de qué clase de cosa percibimos que es), y (ii) las propiedades estéticas que un ítem posee realmente están determinadas por las categorías correctas bajo las que lo experimentamos –realmente posee aquellas propiedades estéticas que parece poseer cuando es percibido (por una persona sensible, en las condiciones apropiadas, etc.) según la categorías adecuadas o correctas para experimentarlo como perteneciente a ellas. La significación estética de las categorías bajo las que una obra se percibe se debe al hecho de que varios rasgos perceptivos no estéticos son lo que Walton llama «estándar», «variable», o «contraestándar» en relación a una categoría (perceptivamente distinguible), y el carácter estético percibido en una obra es función de que sus rasgos perceptivos no estéticos sean estándares, variables o contraestándares para quien perciba la obra bajo esa categoría. El ejemplo más conocido de Walton, de su tesis de que las propiedades estéticas que parece poseer una obra es (parcialmente) dependiente de cuáles de sus rasgos son estándar, cuáles son variables y cuáles contraestándar para el perceptor (y así dependientes de las categorías bajo las que la persona experimenta la obra), es una sociedad imaginaria que no tiene un medio establecido de pintura, pero produce un tipo de obra de arte llamado «guernicas», siendo un «guernica» una versión de la pintura de Picasso hecho en bajo-relieve; es decir, una superficie con los colores y formas de la pintura de Picasso, pero moldeada para sobresalir de la pared como un mapa con relieve, distinguiéndose los «guernicas» unos de otros por las diferentes naturalezas geométricas de sus superficies. El *Guernica* de Picasso cuando es visto como pintura, es dinámico, violento, perturbador, pero cuando es visto como un «guernica», se ve de modo diferente –como frío y carente de vida, o sereno y tranquilo, anodino, apagado, aburrido, o lo que sea.

161

La cuestión es si las dos tesis de Walton se transfieren a la naturaleza, como Carlson argumenta. La esencia del argumento de Carlson es esta: la tesis psicológica (i) las transfiere. Esto es, al menos en alguna ocasión resulta verdadero que las propiedades estéticas que un ítem natural parece poseer son función de la categoría bajo la cual es experimentado. Consideremos, en primer lugar, la apreciación estética de un objeto natural –un animal de una cierta especie, digamos–. Si tenemos algún conocimiento de lo que es estándar para los animales de esa especie –su talla adulta, por ejemplo–, este conocimiento afectará a qué propiedades estéticas parece poseer un animal de esa clase, percibido como tal, si, por ejemplo, se queda muy corto, o es considerablemente mayor que la talla estándar. Así, los ponies Shetland son percibidos como encantadores, bonitos, y los caballos Clydesdale, como majestuosos, cuando los percibimos como pertenecientes a, o si los juzgamos con respecto a la categoría de caballos. Consideremos, en segundo lugar, la apreciación estética del entorno natural. Aquí tenemos un ejemplo de Hepburn:

> Supongamos que estoy caminando sobre una amplia extensión de arena y barro. La cualidad de la escena es quizá la de una extensión desnuda, salvaje y placentera. Pero supongamos que traigo sobre la escena mi conocimiento de que se trata del lecho de la orilla del mar con marea baja. Darse cuenta de esto no es estéticamente irrelevante. Me veo a mí mismo ahora caminando sobre lo que, durante medio día, es lecho marino. La extensión desnuda, salvaje y placentera, puede ser empañada por una dureza perturbadora (Hepburn, 1966: 295).

(Nótese, a pesar de ello, que las propiedades estéticas que experimentamos que un ítem posee, bien puede que no cambien, si el ítem es experimentado primero bajo una categoría natural –digamos una categoría a la que de hecho no pertenece– y después bajo otra –una a la que sí pertenece–: las propiedades estéticas aparentes de un cuerpo celeste en el que he aterrizado, considerándolo como un planeta, no necesita ser vulnerable a la apercepción posterior de que no es un planeta, sino una luna.)

¿Qué sucede con la tesis filosófica (ii)? Desde el punto de vista estético, ¿hay categorías correctas e incorrectas de percepción de la naturaleza o deben la correción u otro tipo de juicio estéticos acerca de la naturaleza, a diferencia de aquellos acerca del arte, ser entendidos como relativos a cualesquiera categorías bajo las que uno pudiera percibir algo natural? Si hay tales categorías, entonces la «interpretación relativa a la categoría» de juicios estéticos acerca de la naturaleza –la interpretación de ellas como conteniendo implícitamente una referencia a alguna categoría o conjunto de categorías particular, de manera que juicios aparentemente opuestos acerca de las propiedades estéticas de un ítem natural sean compatibles– está equivocada. La respuesta de Carlson es que hay categorías correctas, tanto para objetos naturales como para entornos naturales. Se trata de las categorías establecidas por la Historia y la Ciencia Natural, bajo las que el ítem natural cae: las categorías correctas son las categorías de la naturaleza a las que los ítems naturales de hecho pertenecen.

La principal dificultad que necesita ser superada, si la tesis filosófica ha de ser transferida con éxito a la naturaleza, es el establecimiento de las categorías correctas (si las hay) bajo las cuales la naturaleza puede ser percibida, lo que significa bajo qué conceptos de la naturaleza en los que cae un ítem debería ser apreciado *desde el punto de vista estético*, donde esto significa que la percepción bajo aquellos conceptos limita las propiedades estéticas que realmente posee y, por tanto, hace posible una valoración adecuada de su valor estético. Un hecho crucial es que, a diferencia del arte, qué categorías a las que pertenece un ítem son las categorías correctas bajo las que apreciarlo estéticamente, no está determinado por la idea de apreciarlo *como naturaleza*. Por ejemplo, la razón, en el caso del arte, para priorizar una categoría más específica a la que un ítem pertenece, por encima de otra menos específica a la que también pertenece –para identificar la categoría más específica como la categoría correcta bajo la que percibir al ítem desde un punto de vista estético– cuando el artista pretende que sea percibida no solo bajo la categoría más general, sino bajo la más específica, está ausente en el caso de la naturaleza. Por otra parte, necesitaría darse una razón para priorizar una categoría menos específica –para insistir en que un ponie Shetland o Clydesdale, deba ser percibido no bajo la categoría de ponie Shetland o Clydesdale, sino bajo la categoría de caballo–. En ausencia de tales razones, ni una categoría más específica, ni una categoría más general, puede considerarse la categoría correcta, en cuyo caso un ítem natural no puede ser considerado como poseedor de un conjunto particular de propiedades estéticas, sino que poseerá conjuntos contrastados de al menos algunas de las categorías de las que es miembro. En cualquier caso, hay diferencias importantes entre el arte y la naturaleza que hacen que la aplicación de la tesis filosófica a la naturaleza sea problemática, y además son relevantes en una valoración de la doctrina de la estética positiva con respecto a la naturaleza, una visión abrazada por muchos de quienes han sido fascinados por la variedad y profusión, la aparentemente omnipresente belleza, del mundo natural.

4.7. La estética positiva[9]

La estética positiva en relación a la naturaleza mantiene que, desde el punto de vista estético, la naturaleza es diferente al arte en que los juicios de valor estético negativo están fuera de lugar –fuera de lugar porque la naturaleza prístina es en esencia estéticamente buena; esto es, siempre tiene valor estético positivo[10]–. Dos cuestiones enlazadas afloran de inmediato: exactamente, ¿cuál es la fuerza de esta doctrina? y ¿existe alguna buena razón para abrazarla? Claramente, la aceptabilidad de la doctrina depende de la forma que tome, y puede asumir diferentes formas según las respuestas que ofrece a tres cuestiones: (i) de alcance (a qué elementos o aspectos o divisiones de naturaleza se aplica), (ii) de fuerza (si, por ejemplo,

[9] Para un tratamiento más completo de la doctrina de la estética positiva véase el ensayo 3, §4.
[10] Como se apunta en la nota 5 del ensayo 3, la naturaleza prístina, entendida como naturaleza no afectada por los hombres, ahora incluye relativamente poco, quizá nada en absoluto, en la biosfera. Pero en algunos casos los efectos de la humanidad son mínimos, y los efectos de la humanidad pueden desaparecer completamente, como cuando una pieza de tierra vuelve a su estado original, quizá natural, mostrando la misma diversidad y proporción de flora que su área circundante, de manera que una porción de naturaleza, que una vez fue afectada por los hombres, puede en fechas posteriores considerarse naturaleza prístina de nuevo.

desautoriza la atribución de cualidades estéticas negativas a la naturaleza, o desautoriza juicios comparativos acerca de ítems naturales que asignen mayor valor estético a un ítem que a otro), y (iii) de estatus modal (Godlovitch, 1998a,b).

Sería un paso muy pequeño desde la proposición de que ningún ítem natural o combinación de ellos, no tocados por la humanidad, posee cualidades estéticas negativas, a la conclusión de que cada ítem natural o conjunto de ellos, no afectados por la humanidad, posee valor estético general positivo –un paso fugazmente pequeño, dada la clase de libertad que caracteriza la apreciación estética de la naturaleza[11]–. Dado que esta libertad garantiza que cualquier ítem natural ofrecerá algún valor estético positivo, algo estéticamente recompensante, incluso si la recompensa es muy pequeña. Pero, mientras está claro que la naturaleza es inmune a muchos de los defectos de los que sí son responsables las obras de arte –la naturaleza no puede ser trivial, sentimental, mal diseñada, cruda, insípida, académica, mero pastiche, por ejemplo–, la premisa es cuestionable, siendo verdad, como mucho, de los ítems que no son, o no contienen, formas de vida. Una cualidad estética negativa es una cualidad que, considerada en sí misma, hace una contribución negativa al valor estético de un ítem y, de ese modo, constituye un defecto en él. Para que una obra de arte posea una cualidad estética negativa, en el sentido relevante, debe ser defectuosa como obra de arte. Asimismo, para que un ítem natural posea una cualidad estética negativa, este debe ser defectuoso como producto de la naturaleza, pero esto significa que debe ser defectuoso como instancia de la clase de cosa natural que es. Y esto es posible solamente para formas de vida: una nube, el mar, un guijarro, no pueden ser una nube, un mar o un guijarro defectuosos, dado que las clases de cosas que son –nubes, mares, guijarros– carecen de funciones naturales que sus instancias particulares desarrollen inadecuadamente. Sin embargo, un miembro de una especie puede ser una instancia defectuosa de esa especie, estar mal formado, ser incapaz de funcionar en uno o más sentidos normales para esa especie, quizá imposibilitando que florezca en la forma característica de la especie; solamente los seres vivos pueden en-

[11] Véase §8.

contrarse en un estado no saludable, estar enfermos, declinar y morir. Por tanto, alguien que se adhiera a la visión de que una cosa natural no puede poseer una cualidad estética negativa necesitaría mostrar que ninguna de las formas en las que los organismos pueden ser instancias defectuosas de sus clases podría manifestarse de forma que mostrara una cualidad estética negativa. No parece posible poder establecer esto.

Si la posibilidad de que nada en la naturaleza virgen, o nada en el alcance de la doctrina de la estética positiva, puede poseer cualidades estéticas negativas, cualidades que, a menos que fueran compensadas, dotarían –fundarían– a sus sujetos con un valor estético negativo general, es dejada a un lado, los argumentos para una estética positiva de la naturaleza –argumentos que no descansan en esa asunción– no parecen convincentes. Allen Carlson (1984) ha demolido tres argumentos que podían ofrecerse en apoyo de la doctrina, pero también ha dado otros dos propios: uno (1984), basado en la afirmación de que las consideraciones estéticas positivas determinan parcialmente las categorías que son creadas por la ciencia para hacer inteligible el mundo natural; el otro (1993), mantiene que la apreciación de la naturaleza debe entenderse como una forma de la llamada «apreciación del orden», la cual implica que la apreciación de la naturaleza consiste en la selección de objetos de apreciación en el mundo natural y se centra en el orden (el orden natural) impuesto sobre ellos por las fuerzas de la naturaleza, la selección, «la cual hace visible e inteligible el orden natural», y está regida por el relato ofrecido por las ciencias naturales.

No resulta claro qué versión de la estética positiva en relación a la naturaleza exactamente pretenden establecer estos argumentos. Pero sí queda claro que fallan ciertamente en establecer la versión más ambiciosa de la estética positiva –*que cada ítem natural individual, en cada momento de su existencia* (o, más débil, *considerado a lo largo de toda su duración*) posee aproximadamente igual valor estético positivo general–, y hay razones para creer que no es posible mostrar que la versión más ambiciosa de la estética positiva sea correcta[12]. Cambiar el alcance de la doctrina de la estética positiva, de los individuos a las clases, no produciría alteración alguna en la doctrina a

---

[12] Véase ensayo 3, §4.

menos que pudiera darse sentido a la idea de que el valor estético que posee una clase no se redujera a la idea de que cada instancia de la clase posee ese valor. Pero incluso si esto es posible –quizá sería posible invocar la idea de una instancia norma de la clase–, la doctrina todavía sería azarosa. Una razón es que la diversidad de categorías naturales introduce principios de identidad e individuación diferentes para los ítems que pertenecen a ellas, cubriendo tanto fenómenos diferentes como meras apariencias visuales, y los ítems son definidos, unos, a partir de lo que son por el uso hecho de esas categorías y, otros, por lo que los ha hecho surgir, o por su relación con otros ítems naturales. Piénsese, por ejemplo, en las categorías de nube, huevo, torrente, géiser, cueva, estalagtita... Dada esta diversidad, dado que la naturaleza prístina no fue diseñada sin imperfecciones para la contemplación o apreciación estética de los seres humanos, y asumiendo que las cosas naturales son posibles sujetos de cualidades estéticas negativas, sería notable si todo en la naturaleza, sin importar cómo esté conformado, tuviera aproximadamente igual valor estético general positivo.

4.8. *Libertad, relatividad, objetividad y estética positiva*[13]

Ahora puedo hacer valer mi afirmación (§6) acerca de la existencia e importancia de diferencias entre el arte y la naturaleza, con respecto a las limitaciones impuestas sobre la apreciación apropiada por las categorías a las que los ítems pertenecen, e indicar las consecuencias que esto tiene para la idea de las propiedades y el valor estético de un ítem natural, al igual que para la viabilidad de la transferencia a la naturaleza de la tesis filosófica de Walton y para la plausibilidad de la doctrina de la estética positiva con respecto a la naturaleza.

Las distintas formas de arte en ocasiones son divididas entre aquellas en las que sus miembros son de tipo abstracto (como la composición musical) y aquellas cuyos miembros son individuos espacio-temporales (como las pinturas). Pero algunos filósofos rechazan esa distinción, manteniendo que todas las obras de arte son tipos. Cualquiera que sea la posición que se prefiera, los ítems na-

---

[13] Compárese con ensayo 3, §5.

turales individuales difieren de las obras de arte en formas que tienen consecuencias de amplio alcance para las propiedades estéticas que puede considerarse apropiadamente que poseen, al ser tomadas como las cosas que son y por su valor estético general como tales cosas naturales. Primero, carentes de la inmutabilidad de los tipos abstractos, están sujetas al cambio, y de los cambios que ellas padecen resultará la posesión de diferentes propiedades estéticas en momentos distintos, y, a diferencia de lo que es característico de las obras de arte, son objetos espacio-temporales mutables (si alguno lo es): carecen tanto de condiciones óptimas, en correspondencia con la intención de su creador, en las que sus propiedades estéticas se manifiesten, como de condiciones pésimas, en las que sus propiedades estéticas verdaderas ya no se manifiesten. Segundo, la relación entre la categoría de arte a la que una obra pertenece y la apreciación artística apropiada de esa obra es muy diferente de la relación entre la categoría natural a la que un ítem natural pertenece y la apreciación estética apropiada de ese ítem como el ítem natural que es. Dado que, mientras que la categoría artística de una obra (i) es definitoria del modo de percepción requerido para su apreciación, si hay un único modo, o de los diferentes modos, si más de uno es necesario, o del orden en el que los contenidos de la obra deberían ser asimilados, si no hay un modo o un conjunto de modos necesario; (ii) hace que ciertos modos de percepción e implicación con la obra resulten inapropiados, y (iii) indica cómo el modo (o modos) apropiado de percepción deberían ser empleados, a qué han de ser o no dirigidos y bajo qué condiciones –la categoría natural de una cosa natural no consigue ninguna de estas cosas–. Por tanto, no solamente las propiedades estéticas de un ítem natural cambian a lo largo del tiempo mientras el cambio prosigue, sin que ningún grupo constituya las propiedades estéticas del ítem *qua* el ítem natural que es, sino que, además, su apariencia resulta afectada por las condiciones climáticas, el punto de vista del observador, la estación, la hora del día, la modalidad sensorial empleada, el poder de magnificación o amplificación, etc., no siendo obligatoria ninguna de ellas, de manera que el rango de sus propiedades estéticas o de sus apariencias estéticamente relevantes está típicamente abierto de una manera impropia en las obras de arte. La carencia de limitaciones impuesta por las categorías naturales sobre la apreciación estética de ítems en su dominio dotan a la apreciación estética de la naturaleza de un tipo de libertad distintiva.

Ahora bien, el valor de verdad de un juicio acerca de las propiedades estéticas y el valor de un ítem natural se entiende, como usualmente se hace, de forma relativa –como relativo a un nivel particular en la historia natural del ítem, a un modo perceptivo, a un nivel y manera de observación, y un aspecto perceptivo, o no se entiende–. Si no, entonces, en general, no existe algo que sea la apreciación estética apropiada de la naturaleza, si por esto entendemos «esa apreciación de un objeto que revela qué cualidades y valor estético posee» (Carlson, 1984). Además, la idea del valor estético de un ítem natural, considerado como la cosa natural que es, está mal definida, a menudo inmersa en una incertidumbre irresoluble, como la relevancia o irrelevancia de su propio valor estético, de uno u otro aspecto del mundo en el que la cosa está implicada[14]. (Emplear una concepción del valor estético de un ítem natural, *qua* el ítem natural es, como la suma de sus cualidades estéticas positivas y negativas consideradas como instancia de su clase, sería usar un noción indefinida en muchos aspectos y que hace incierto el valor estético de todo en la naturaleza, como resulta obvio, especialmente, en el caso de ítems naturales como montañas, ríos o tormentas, por ejemplo.) Por consiguiente, a través del uso no crítico de la noción de valor estético de un ítem natural, la doctrina de una estética positiva de la naturaleza, avanzada hasta alcanzar una versión que no desautoriza la posesión de cualidades estéticas negativas por los ítems naturales, y entendida como tesis acerca de instancias de clases de cosas de la naturaleza, debe tener un estatus incierto.

4.9. *Modelos de apreciación de la naturaleza*

Carlson ha sugerido que necesitamos un modelo de apreciación estética de la naturaleza, y en particular del entorno natural, que indique qué debe ser apreciado estéticamente y cómo ha de

---

[14] El valor artístico de las obras de arte que divergen de lo que es o ha sido característico del arte está sujeto, en la medida de que exista tal divergencia, a la indefinición que caracteriza el valor estético de la naturaleza.

serlo –algo de lo que tenemos seguridad en el caso de las obras de arte–. En el caso del arte generalmente sabemos qué apreciar, ya que podemos distinguir una obra y sus partes de cualquier otra cosa, así como los aspectos estéticamente relevantes de aquellos que no lo son, y sabemos, generalmente, cómo apreciarla ya que conocemos qué acciones realizar de cara a apreciar la obra. Pero, ¿qué sucede con el entorno natural? Existen problemas debidos a las diferencias vitales entre el arte y la naturaleza. Nuestro conocimiento de qué y cómo apreciar, en el caso del arte, proviene del hecho de que las obras de arte son nuestras propias creaciones y producto de acciones intencionales. Pero la naturaleza no es nuestra creación.

Cinco modelos, como mínimo, están presentes en la bibliografía: (i) el modelo del objeto, (ii) el modelo del paisaje (o escenario), (iii) el modelo del entorno natural, (iv) el modelo causal y (v) el modelo de la distancia (o el misterio).

(i) El *modelo del objeto* mantiene que la apreciación estética de la naturaleza consiste en la apreciación de un objeto natural como el objeto físico real que es. Las cualidades que han de ser apreciadas estéticamente están limitadas a las cualidades sensoriales y de composición del objeto real (color, forma, textura, patrón) y sus cualidades expresivas abstractas (si tiene alguna). En este modelo, para comprometerse en la apreciación estética de la naturaleza, un objeto debe ser extraído, realmente o contemplativamente, de sus circunstancias y la atención ha de ser focalizada en sus cualidades expresivas, de diseño y sensoriales. Por tanto, un fragmento de roca, sacado de contexto y contemplado en abstracción de sus circunstancias, puede ser apreciado por su superficie, maravillosamente suave y graciosamente curvada, y por su expresión de solidez. Debatiendo contra el modelo del objeto, como modelo apropiado para la apreciación estética de la naturaleza, Carlson (1979a) dibuja una distinción entre apreciar la naturaleza y apreciar objetos de la naturaleza. Mientras que es ciertamente posible apreciar un objeto de la naturaleza, según la forma indicada por el modelo del objeto, se trata de un modelo inadecuado para la apreciación estética de la naturaleza, ya que la extrapolación requerida (real o contemplativa) de un objeto natural de su entorno impone una limitación severa sobre la apreciación estética de los objetos naturales, y puede implicar una falsificación de sus cualidades estéticas. En el caso de los objetos artísticos, que son «unidades estéticas autosuficientes»:

> ni el entorno de su creación ni el entorno de su exposición son estéticamente relevantes: la extrapolación de un objeto artístico autosuficiente del entorno de su creación no variará sus cualidades estéticas y el entorno de exposición no deberá afectar sus cualidades estéticas. Sin embargo, los objetos naturales poseen lo que podemos llamar unidad orgánica con su entorno de creación: tales objetos son parte y se han desarrollado a partir de los elementos de sus entornos, por medio de las fuerzas desplegadas en aquellos entornos. Así, los entornos de creación son estéticamente relevantes para los objetos naturales. Y por esta razón los entornos de exposición son igualmente relevantes en virtud del hecho de que estos serán, o bien el mismo, o bien diferentes a los entornos de creación. En ambos casos las cualidades estéticas de los objetos naturales quedarán afectadas.

De ese modo, en el entorno de su creación el fragmento de roca no será solo maravillosamente suave, graciosamente curvada y expresiva de solidez. De hecho, bien puede carecer de la cualidad final. Dado que las cualidades que son producto de la relación entre el objeto y su entorno se acumulan en el objeto cuando están en su entorno de creación (y son consideradas en él):

> Resulta aquí expresivo de las fuerzas particulares que lo formaron y continúan dándole forma y muestra su ubicación y su relación con su entorno para la apreciación estética (130).

Y, dependiendo de su ubicación en el entorno, podría no expresar solidez.

En suma: por un lado, si un objeto natural está sacado (en realidad o con el pensamiento) de su entorno, el modelo del objeto provee una visión de qué y cómo apreciar el objeto, pero restringe las cualidades estéticas abiertas a la apreciación a un grupo relativamente pequeño. Por otro lado, si el objeto natural ha de ser apreciado en relación a su entorno, resulta un modelo inadecuado para una parte muy grande de la apreciación relevante, y falla así en proveer una visión adecuada de qué apreciar en la naturaleza y cómo hacerlo.

171

Ahora bien, considerado como modelo para la apreciación estética de la naturaleza el modelo del objeto, es ciertamente inadecuado, dado que la apreciación estética de la naturaleza abarca mucho más que la apreciación de objetos naturales que pueden ser extraídos de sus entornos de creación –como sucede con el ejemplo favorito de Kant de lo sublime, el cielo nocturno plagado de estrellas, o con los ríos, montañas, bosques, desiertos, etc.– Más aún, a menos que la idea de entorno de creación sea entendida en un sentido excesivamente amplio, muchas cosas naturales (seres vivos) dejan sus entornos de creación por otros entornos, o emigran de uno a otro. Además, si el entorno de creación de un pájaro, digamos, es el nido en el cual fue incubado, ese entorno no parece tener nada que ver con la apreciación estética de un pájaro como cosa natural. Pero, dejando todo esto de lado, ¿es efectivo el argumento de Carlson en el caso de objetos naturales separables?

Padece de dos debilidades. En primer lugar, no es necesario que un objeto esté realmente en su entorno de creación para que sea apreciado por las cualidades que son producto de la relación entre el objeto y su entorno: para apreciar la maravillosa suavidad de un roca como efecto de la erosión marina –no el entorno de creación de la roca, sino el entorno de creación de su maravillosa suavidad, el producto de las fuerzas que trabajan en el mar– no es necesario que esté todavía en el mar o lavada en la orilla. Así, de la supuesta relevancia del entorno de creación natural de un objeto para su apreciación estética, no se sigue que el entorno de su exposición sea también relevante para su apreciación estética (como naturaleza). Segundo, el argumento de Carlson da paso a (i) la posición de un objeto de natural en su entorno de creación, y (ii) al objeto habiéndose desarrollado fuera de los elementos de su entorno, por medio de las fuerzas en juego desplegadas en ese entorno. El primer factor parece figurar en el argumento de Carlson solamente en combinación con el segundo: qué cualidades (solidez, por ejemplo) parecen ser expresivas del objeto en sí mismo, pueden no ser cualidades expresivas del objeto en su entorno de creación –que lo sea dependerá de su ubicación en ese entorno–. Si se pretende que juegue un rol adicional, llamando la atención sobre la relevancia estética de las relaciones que mantiene con otros ítems en su entorno, carece de fuerza. Las cualidades disponibles para su apreciación estética (como objeto natural) que posee en virtud de su naturaleza intrínseca no están descalificadas de ser el foco de apreciación estética (de la naturaleza), solo porque, si fuera considerado en relación con otras partes de su entorno, estas cualidades no serían sobresalientes y otros rasgos (su armoniosa relación con otros elementos del entorno, o un patrón del cual él compone una parte), ausentes de la apreciación estética del objeto considerado en sí mismo, se convertirían en prominentes. En cualquier caso, el ejemplo de Carlson de un cambio de cualidad expresiva aparente, traído por la percepción de un objeto natural no en abstracción sino en relación a su entorno de creación, no es convincente. La solidez no implica invulnerabilidad a las fuerzas naturales. Por tanto, incluso si en su grupo natural es patente que la suavidad y forma de la roca es resultado de fuerzas naturales y que su suavidad, forma y unidad están sujetas a cambios por la operación continua de aquellas u otras fuerzas naturales, eso no provee de justificación a la tesis de que su posición en el entorno de creación pueda determinar que no expresa solidez, cualidad que parece tener cuando la consideramos aisladamente.

(ii) El *modelo del paisaje* mantiene que la apreciación estética de la naturaleza consiste en apreciarla como si fuera un paisaje pintado, donde «paisaje» significa «un panorama –usualmente grandioso– visto desde un punto de vista y una distancia específicos» (Carlson, 1979a)[15]. Así, el modelo «requiere dividir el entorno en escenas o bloques de escenarios, cada uno de los cuales ha de ser visto de un punto de vista particular por un observador separado por una distancia espacial (y emocional) adecuada» (132). Y el modelo centra su «atención sobre aquellas cualidades estéticas de color y diseño que son vistas, y vistas a una distancia» (131).

La crítica de Carlson a este modelo es simple: el modelo es inapropiado a la naturaleza real del objeto de apreciación, porque requiere «la apreciación del entorno, no como lo que es y con las

---

[15] La grandiosidad de perspectiva no es obviamente esencial al modelo del paisaje, cualquiera que sea el rol que haya desempeñado en la historia de la apreciación estética de la naturaleza.

cualidades que tiene, sino más bien como algo que no es y con cualidades que no tiene». Dado que «el entorno no es una escena, ni una representación, no es estático, ni tampoco bidimensional», mientras que el modelo requiere que el entorno sea visto como si fuera «una representación estática que es esencialmente bidimensional», quedando reducido «a una escena o visión».

Carlson se desliza entre dos formas de comprender el modelo del paisaje, la primera presenta la apreciación de la naturaleza como la apreciación de la naturaleza como paisaje pintado; la segunda, como una (grandiosa) perspectiva vista desde un punto aventajado específico (es decir, como aquello de lo que una pintura de paisaje es una representación):

> El modelo de apreciación del paisaje... refuerza la percepción y apreciación de la naturaleza como si fuera un paisaje pintado, como un grandioso panorama visto desde un punto fijo y una distancia específicos (131).

Según la primera interpretación, el modelo es vulnerable a la objeción de que es inapropiado a la naturaleza real del objeto de apreciación: la naturaleza no es una representación (ni bi, ni tridimensional) de la naturaleza[16]. Pero, según la segunda aproximación no lo es, puesto que no se requiere «la apreciación del entorno, no por lo que es y con las cualidades que posee, sino más bien como algo que no es y con cualidades que no posee». La crítica correcta del modelo del paisaje, en el segunda aproximación, es que presenta equivocadamente lo que es *un* modo apropiado de apreciación estética de la naturaleza como siendo *el único* modo apropiado. Aunque el entorno natural proporciona perspectivas,

---

[16] El hecho de que la naturaleza no sea estática no es en sí mismo una objeción concluyente para el modelo, puesto que, incluso sin modificar el modelo al de una imagen en movimiento de un paisaje desde un punto estratégico, las diferentes apariencias que presenta la naturaleza como eventos comprendidos en ella podrían ser acomodadas al interpretar la apreciación estética de cada escena diferente como la apreciación de una pintura de paisaje diferente. Pero solo una imagen en movimiento puede proveer un sustituto en el mundo natural, de manera que para acomodar la apreciación del movimiento sería necesario sustituir el modelo de un paisaje pintado por el de una imagen en movimiento.

ofrece mucho más que esto a la apreciación estética: la apreciación estética de la naturaleza no está restringida a la visión, y allí donde la apreciación tiene lugar, primeramente, a través de los ojos, el observador no necesita estar fijo, ni quieto en un punto de vista desde el que el paisaje se ve desplegado, ni en una media distancia de lo que está siendo atendido, ni poner el foco sobre cualidades de color y diseño general.

(iii) La solución propuesta por Carlson al problema del modelo apropiado es su *modelo del entorno natural* (1979a). La idea conductora del modelo del entorno natural es apreciar estéticamente la naturaleza por lo que es y por las cualidades que posee. El hecho de que el entorno natural es (a) natural, y (b) un entorno debe jugar un rol central en la apreciación estética de la naturaleza. Ahora bien, el entorno es nuestro alrededor, el escenario en el cual existimos y que experimentamos normalmente a través de todos nuestros sentidos, aunque habitualmente solo como trasfondo. Para apreciarlo estéticamente debemos usar todos nuestros sentidos para ponerlo en primer plano –lo que, en resumen, es como apreciar estéticamente un entorno–. Ahora bien, el entorno natural es natural, no una obra de arte, y como tal no tiene fronteras o focos de significación estética. Por tanto, ¿qué debe apreciarse estéticamente en el entorno natural? La respuesta es que el considerable sentido común y conocimiento científico que poseemos de la naturaleza transforma nuestra experiencia de lo que, de otro modo, sería carente de significado, indeterminado y confuso, en significativo, determinado y ordenado. Además, nos provee de «los focos apropiados de significación estética y las fronteras del conjunto». Por tanto, «para apreciar estéticamente la naturaleza debemos tener conocimiento de los diferentes entornos de la naturaleza y de los sistemas y elementos pertenecientes a esos entornos». Y, debido a que existen diferentes entornos naturales, cómo apreciarlos estéticamente varía de un entorno a otro:

> debemos estudiar el entorno de una pradera, observando los sutiles contornos de la tierra, sintiendo soplar el viento en el espacio abierto, y oliendo la mezcla de aromas de la hierba y las flores. Pero… en el entorno de un denso bosque… debemos examinar, excrutar, inspeccionar en detalle el suelo del bosque, es-

cuchando cuidadosamente los sonidos de los pájaros y oler cuidadosamente las esencias de una pícea y un pino (273-4).

Para apreciar apropiadamente... un entorno natural, como una pradera alpina, es útil saber, por ejemplo, que se ha desarrollado bajo limitaciones impuestas por el clima de gran altitud, y que el diminuto tamaño de su flora es resultado de una adaptación a tales constreñimientos. Este conocimiento puede guiar nuestra forma de enmarcar el entorno de manera que, por ejemplo, evítemos imponer inapropiadamente grandes marcos, que podrían hacer, simplemente, que pasáramos por alto las diminutas flores salvajes. En tal caso ni siquiera apreciaríamos su maravilloso ajuste a su propia situación, ni tampoco nuestros sentidos estarían en sintonía con su sutil fragancia, textura y matiz (Carlson, 1992: 141-2).

Además, una exigencia del modelo del entorno natural –que Carlson utiliza contra el modelo del objeto– es que la apreciación de un ítem natural, esté o ya no en su entorno de creación, debe, so pena de no representar las propiedades expresivas del ítem, abarcar la consideración del mismo ubicado en su entorno de creación y formado por las fuerzas que operan en ese entorno.

Hay muchos problemas con el modelo del entorno natural. Destacaré dos problemas de alcance que padece. Primero, tenemos la cuestión del alcance intencional del modelo. Aunque focalizado en la apreciación del entorno natural, parece ofrecerse como el modelo correcto no solo para la apreciación del entorno natural, sino para la apreciación estética de la naturaleza *tout court*. Pero eso sería identificar la apreciación estética de la naturaleza (como naturaleza) con la apreciación estética del entorno natural, y dejaría fuera la posibilidad de apreciar estéticamente un objeto natural que no esté en su entorno natural de creación, a menos que al apreciarlo se considere imaginativamente en relación a su lugar e historia en su contexto original. Pero los árboles plantados en las ciudades, por ejemplo, pueden ser apreciados estéticamente como objetos naturales aunque estén localizados y hayan crecido en un entorno no-natural, o parcialmente no-natural, y hayan pasado sus primeras semanas en macetas en un vivero, como sucede –por tomar un ejemplo obvio– con las flores de nuestro jardín. En cualquier caso, el modelo natural-ambiental de Carlson parece inadecuado para la apreciación de objetos inanimados, u objetos vivientes que carezcan de poder de locomoción. Las criaturas dotadas de movimiento no tienen posición natural en su entorno de creación y no necesitan permanecer en él –a menudo no lo hacen, como sucede con los pájaros, que salen del huevo y abandonan sus nidos (en un sentido su entorno de creación) moviéndose en la atmósfera y sobre la superficie de la tierra.

El segundo problema de alcance no concierne al alcance del modelo, sino al alcance del conocimiento relevante a la apreciación estética de la naturaleza. La tesis de Carlson es que el sentido común y el conocimiento científico-natural de la naturaleza es esencial a la apreciación estética de la naturaleza. Pero, ¿cuánto conocimiento acerca de un ítem natural es relevante? Si no lo es todo, ¿qué hace que una parte del conocimiento sea relevante, o de rigor, para la apreciación estética del ítem? Por ejemplo, ¿qué conocimiento del sol y de su relación con la tierra (la distancia exacta o aproximada del sol con respecto a la tierra, digamos) es relevante para la apreciación de una puesta de sol, y en virtud de qué es relevante tal conocimiento? Por un lado, resulta claro que no todo lo que es verdadero de un ítem natural necesita ser entendido de cara a apreciarlo estéticamente como el ítem natural que es. Una flor es el órgano sexual de una planta. Pero juzgar una flor como bella no es necesariamente conocer sus funciones como órgano sexual de una planta, ni mucho menos apreciarla según cómo realiza esa función natural[17]. Por otra parte, resulta claro que el conocimiento científico puede realzar la apreciación estética de la naturaleza[18]. La efectividad de la afirmación de Carlson de que el conocimiento de lo que es estándar para las cosas naturales de un cierto tipo afectará a las propiedades estéticas que un ítem parece poseer se le puede conceder:

> Las cualidades estéticas que objetos naturales y paisajes parecen poseer dependen de cómo son percibidas. La ballena rorcual es un mamífero gracioso y majestuoso. Sin embargo, si fuera percibido como pez, parecería más pesado, de alguna forma torpe, quizá incluso algo rudo (algo parecido, quizá, al tiburón). De modo similar, el gracioso y hasta elegante arce parecería un ciervo desgar-

---

[17] ¿Importa, desde el punto de vista estético, cuál sea la función natural de las rayas de una cebra –algo sobre lo que, creo, no hay consenso científico?

[18] Véase ensayo 1, §7.

bado: la encantadora marmota, una enorme y temible rata; el delicado girasol, una margarita larga y tiesa (Carlson, 1984: 26-7).

No obstante, todo esto no va muy lejos: todo lo que muestra es la relevancia estética de una cierta clase de categorías naturales en la que un ítem es percibido como instancia y no conecta con la cuestión de qué distinción hay entre lo estéticamente relevante y lo irrelevante, o el conocimiento esencial y no esencial de la naturaleza. Carlson no reconoce este vacío de su concepción[19].

Como ilustración de esta deficiencia en la teoría, Robert Stecker (1997) ha respondido de la siguiente forma al uso que Carlson hace del ejemplo de Hepburn de una zona intermareal, de la amplia expansión de arena y barro que parece tener diferentes cualidades estéticas dependiendo de si es percibida solo como playa o también como zona intermareal. La orilla de una zona intermareal puede ser apreciada de tres formas, ninguna de las cuales está mal fundada: como playa, como lecho marino, y como a veces playa, a veces lecho marino. Y, aunque la última es más «completa» que las dos primeras, dado que las comprende a ambas, no hay razón convincente para preferir la concepción más completa, que podría o no mejorar nuestra apreciación. Además:

> La concepción más completa puede todavía completarse indefinidamente con conocimiento de la física de las mareas, los ecosistemas de la cuenca, y hechos adicionales de biología, química y geología… La naturaleza no nos guía para seleccionar entre esta posible información puesto que, abarcando todos estos hechos, es indiferente para que busquemos el disfrute estético (398).

Para Carlson las cualidades estéticas que un ítem posee realmente son aquellas que parece poseer (al perceptor adecuado, bajo las condiciones adecuadas) cuando es percibido en su categoría correcta; la categoría correcta en la cual percibir la expansión de arena y barro es la de «zona intermareal»; por tanto, la cualidad de la ex-

---

[19] Es una debilidad común en los defensores de la concepción de que el conocimiento científico es esencial a la adecuada apreciación estética del mundo natural no proveer ningún criterio para determinar, para objetos o fenómenos naturales particulares, qué conocimiento mejora la apreciación estética.

pansión de arena y barro no es solo la de una extensión desnuda agradable y salvaje, sino la de una extensión desnuda agradable y salvaje atemperada por una extrañeza perturbadora (Carlson, 1984).

Nótese que, aunque la expansión de arena y barro parece poseer diferentes cualidades cuando es percibida según las categorías de playa y zona intermareal, las categorías no son incompatibles, cada una de ellas es una categoría correcta –la categoría: *solo playa, nunca un suelo marino*, sería una categoría incorrecta– y las cualidades están relacionadas de esta forma: la segunda es la primera con un rasgo adicional, una característica cualificante (si pretendemos entenderlo como la idea de «estar atemperada por»). Por tanto, en sí mismo el ejemplo no es relativamente problemático para Carlson: lo que sería profundamente problemático sería un caso en el cual las cualidades que el ítem pareciera poseer al ser percibido en dos categorías correctas, fueran incompatibles. Sin embargo, Carlson no muestra conciencia del hecho de que tanto «playa» como «zona intermareal» son categorías correctas, y parece seleccionar como correcta la más abarcante, simplemente por serlo.

Stecker extrae la conclusión de que «no está claro que el conocimiento de la naturaleza pueda desarrollar la misma función que el del arte», específicamente la de delimitar el conocimiento estéticamente relevante. Pero la idea de delimitar el conocimiento estéticamente relevante de la naturaleza es ambigua, y hay dos cuestiones que deben distinguirse (centrándonos por simplificar en los objetos naturales). Por un lado, la cuestión acerca de qué puede figurar apropiadamente en la apreciación estética de un objeto natural particular: ¿existen hechos acerca de un objeto natural que sean irrelevantes para su apreciación estética como natural, esto es, que pudieran no constituir parte de su atractivo estético o informar su apreciación estética? Por otra parte, hay una cuestión acerca de qué debe figurar en esa apreciación para que la apreciación no sea defectuosa, imperfecta, trivial o, de algún modo, inadecuada: ¿existe un grupo de hechos acerca de un objeto natural, en el que cada uno resulte esencial a su apreciación estética plena, sin que ningún hecho fuera de este conjunto sea relevante? La conclusión de Stecker da una respuesta negativa a la segunda cuestión. Pero esto no implica una respuesta negativa a la primera, que debería de hecho recibir una respuesta positiva, aunque no resulte fácil expli-

179

car por qué ciertos tipos de hechos son descalificados para figurar en la apreciación estética de un ítem natural (Hepburn, 1996)[20].

(iv) Noël Carrol (1993) ofrece un modelo causal, no como sustitución del modelo del entorno natural, sino como compatible con él apelando cada uno a algunas pero no a todas las respuestas que constituyen una apreciación estética frente al mundo natural; los dos modelos se solapan en ocasiones. El modelo es simplemente el de ser emocionalmente conmovido por la naturaleza, con emociones causadas adecuadamente por ella, y que no están todas basadas en un componente cognitivo que contenga una categoría científica. Por ejemplo:

podemos encontrarnos bajo una tormenta y estar excitados por su grandiosidad, o estar de pie descalzos, en medio de un silenciosa arboleda suavemente alfombrada por ramas y hojas caídas, que despierta en nosotros una sensación casera y de reposo... (245).

Cuando nos encontramos sobrecogidos y excitados por la grandiosidad de una cascada de agua nos centramos en ciertos aspectos de su expansión natural –«la fuerza palpable de la cascada, su altura, su volumen de agua, la forma en la que altera la atmósfera de nuestro alrededor, etc.»–, ese enfoque no requiere ningún conocimiento científico o ecológico especial, ni tan siquiera sentido común. Y sentirse exultante por la grandiosidad es una respuesta apropiada a lo que es grandioso. Por tanto, hay una forma de apreciación estética de la naturaleza que no se conforma al modelo del entorno natural[21]. Además de ello, y así lo debate Carroll, este modo de apreciación estética de la naturaleza es tal que (a) puede concluir en que los juicios estéticos sobre la naturaleza pueden ser objetivamente correctos –conclusión que Carlson parece creer que solo

---

[20] Véase el ensayo 1, §7.
[21] Carroll entiende que el modelo del entorno natural de Carlson requiere de conocimiento sistemático de los procesos naturales, de forma que el conocimiento de sentido común implicado en la apreciación estética de la catarata –aquello que está cayendo es agua, por ejemplo– no es conocimiento de sentido común de la naturaleza del tipo que demanda el modelo del entorno natural.

puede alcanzarse por el modelo del entorno natural porque los juicios estéticos basados o que expresan respuestas emocionales a objetos naturales apropiados poseen objetividad, y (b) no hay una buena razón para aceptar que deba ser una apreciación menos profunda de la naturaleza que la informada por la historia natural, si la profundidad de la respuesta es un asunto de intensidad y totalidad de la implicación.

Carroll no especifica que para que la emoción despertada por la naturaleza de forma apropiada constituya una apreciación estética la respuesta emocional deba ser una respuesta estética, pues no toda respuesta emocional a la naturaleza es una respuesta estética, y menos una respuesta estética a la naturaleza como naturaleza, y no solamente no provee de una visión de qué hace a una respuesta ser una respuesta estética, sino que algunos de sus ejemplos de respuestas emocionales a la naturaleza son definitivamente respuestas no estéticas. Pero estos defectos son fácilmente rectificados[22].

Carlson (1995) no insiste en este punto y adopta un enfoque diferente: prescindiendo de la cuestión de qué constituye una respuesta estética a un ítem, se centra en la noción de apreciación[23]. Puesto que la apreciación de un ítem requiere de cierta información acerca de él, la apreciación correcta de un ítem requiere conocimiento de ese ítem. De ahí se sigue que, si una cierta parte, o partes, de conocimiento es requerido para la apreciación apropiada de la naturaleza, entonces, una respuesta emocional que no esté basada en el conocimiento exigido no es una verdadera respuesta apreciativa. Resulta claro que el modelo causal no excluye, cualquiera que este sea, que el conocimiento exigido para una apreciación apropiada de la naturaleza sea la base de una reacción emocional a la naturaleza que constituya su apreciación estética. La cuestión, por tanto, es si juzga como incorrectos aquellos casos de respuesta emocional ante la naturaleza que no están basados en el conocimiento exigido para ser instancias de una apropiada apreciación de la naturaleza.

---

[22] Véase ensayo 1, §5.
[23] La concepción de apreciación de Carlson (1995) es contestada por Godlovitch (1997), pero esa crítica está efectivamente rebatida por Carlson (1997).

Esto depende de qué conocimiento se requiera para la apreciación estética de la naturaleza. El modelo del entorno natural mantiene que el conocimiento requerido es «aquel que proveen las ciencias naturales y sus predecesores, el sentido común y análogos», mientras que el modelo causal rechaza que este sea el conocimiento requerido para la apropiada apreciación de la naturaleza. Carlson hace aquí dos movimientos. El primero explota un rasgo de uno de los ejemplos de Carroll en un intento de mostrar que el modelo causal se diluye en el modelo del entorno natural. El ejemplo es el de ser conmovido por la grandiosidad de una ballena azul, «su talla, su fuerza, la cantidad de agua que desplaza». Pero el conocimiento de la cantidad de agua que desplaza la ballena azul –queda claro que Carroll no pretende decir cuál es la cantidad exacta de agua, sino solamente que esa cantidad es grande– es «si no exacta y sencillamente científico, al menos producto del sentido común predecesor o análogo de la ciencia», de manera que la apreciación de la ballena que se basa, parcialmente, en la cantidad de agua que desplaza, está basada en conocimiento del tipo requerido por el modelo del entorno natural, «aunque ese conocimiento venga del sentido común final del espectro que va de la ciencia a sus análogos del sentido común». De forma similar, Carlson se inclina por contemplar el conocimiento de lo que, en el ejemplo de la catarata de Carroll, es agua cayendo, como producto del sentido común predecesor y análogo de la ciencia. Y aunque está preparado para conceder que quizá «este no es conocimiento sistemático de la naturaleza», se trata, para él, de una concesión insignificante. Dado que Carlson concluye que los ejemplos de apreciación de la naturaleza en concordancia con el modelo causal que estén basados en conocimiento solamente de este tipo son como mucho mínimos, de manera que, hasta donde incumbe al elemento de conocimiento adecuado para la apreciación de la naturaleza, no hay diferencia significativa entre el modelo causal y el modelo del entorno natural, centrándose el primero en lo más mínimo y el segundo en los niveles más completos y ricos de la apreciación.

Quedará claro que la respuesta de Carlson tropieza con la problemática cuestión de la extensión del conocimiento de la naturaleza estéticamente relevante. Y, puesto que no todo tipo de apreciación es apreciación estética, una respuesta basada en una apreciación de la naturaleza de un ítem natural más profunda, en oposición a una más superficial (en el sentido de comprensión), no es indicativa, automáticamente, de una respuesta estética más profunda, en oposición a otra más superficial, una que sea la manifestación de una apreciación más completa y rica del ítem, desde el punto de vista estético. Sin una concepción de qué es para la apreciación lo específicamente estético y una distinción por medio de principios entre conocimiento relevante y conocimiento irrelevante para la apreciación estética de una cosa natural, Carlson no puede forzar su crítica del modelo causal.

Carlson sí hace algunas afirmaciones acerca de qué implica la apreciación específicamente estética (Carlson, 2000). Requiere que una apreciación estética apropiada y seria esté fundada en el conocimiento de qué clase de cosa sea el objeto de apreciación y cuáles sean sus propiedades, siendo este conocimiento el que informa la percepción del objeto y dirige los comportamientos hacia él. Además, el conocimiento requerido para la apreciación estética apropiada incluye, para todos los objetos, conocimiento de la historia de la producción de los objetos, esto es, la explicación de cómo el objeto de apreciación llegó a ser lo que es, y, para aquellos objetos que han sido diseñados para realizar una función o cumplir una finalidad, el conocimiento de esa función o finalidad, esto es, por qué llegó a ser lo que es.

Cualquier concepción de la apreciación estética que reconozca que esta puede ser adecuada o inadecuada necesita de una concepción que determine si un hecho acerca de un ítem particular es relevante o irrelevante para la apreciación estética apropiada de ese ítem. Dejando a un lado lo que exhibe un objeto natural a los sentidos (y exactamente qué incluye esto), lo que consideran relevante todas las concepciones de la apreciación estética, Carlson contempla como estéticamente relevante la clase del objeto o la categoría (y aquellas de los ítems naturales que contiene, si, como sucede con el paisaje, los contiene), su «historia de producción», y su función o finalidad, si la tuviera. Por estéticamente relevante quiere decir que la información acerca de estos hechos (y, quizá, no otra) resulta necesaria para la apreciación estética apropiada del objeto, y su posición consiste en que la apreciación informada por la categorización científica, por la conciencia de la

183

«historia de producción» y por la función es por eso más rica y profunda.

Ahora bien, esta sugerencia acerca del alcance de los hechos estéticamente relevantes carece de una base realmente sólida, no está completamente desarrollada y, como se presenta, parece estar abierta a contraejemplos. En primer lugar, para que la sugerencia sea convincente, necesita una noción de lo que es común (y quizá peculiar) a estas clases de hechos, en virtud de lo cual (supuestamente) son estéticamente relevantes, una noción idealmente derivada de una caracterización de la naturaleza de lo estético, algo que Carlson no intenta proveer. Y mientras que la relevancia estética de un tipo de objeto es definitivamente establecida al mostrar qué es determinante de las cualidades estéticas que verdaderamente podemos decir que el objeto posee, como instancia de ese tipo, la relevancia estética de la «historia de la producción» de un objeto natural no está sustentada por consideraciones similares o igualmente capaces y potentes (las diferencias significativas entre arte y naturaleza descartan que la relevancia estética de la «historia de la producción» de una obra de arte sea suficiente). En segundo lugar, la sugerencia está envuelta por la penumbra de la vaguedad. Dado que, al igual que no todos los aspectos de la historia de la producción de una obra de arte son relevantes para su apreciación estética, no toda la información acerca de cómo un fenómeno natural llegó a ser lo que es resulta relevante para su apreciación estética. Por tanto, la sugerencia estará bien definida solamente si aquellos aspectos que son relevantes son identificados, y necesitamos una explicación de por qué estos (y no otros) son relevantes. En tercer lugar, parece haber muchas instancias de apreciación estética de la naturaleza donde es innecesario tener conocimiento sustancial, quizá conocimiento en absoluto, de la «historia de la producción» del objeto de apreciación. Consideremos, por ejemplo, uno de los paradigmas fundamentales de apreciación estética de Carlson, la apreciación de la gracia de un pájaro en vuelo. Resulta claro que uno no necesita saber la explicación del crecimiento del pájaro en el interior del nido del que salió y de cómo se desarrollaron el esqueleto del pájaro y las plumas de su estado de polluelo para apreciar la gracia del pájaro en vuelo. Tampoco es obvio que se requiera entendimiento de los orígenes, la formación y el desarrollo del pájaro para cualquier otro aspecto de una apreciación estética apropiada del pájaro adulto.

(v) En su defensa de una estética natural acéntrica Stan Godlovitch ha propuesto un *modelo del distanciamiento* (Godlovitch, 1949). Una estética natural sin centro es la estética correlativa y el fundamento esencial del ambientalismo sin centro. El ambientalismo es la concepción que sostiene que la naturaleza necesita protección. A diferencia de la formas de ambientalismo céntrico, que intentan justificar la protección del entorno natural en base a fundamentos instrumentales, consecuencialistas o puramente utilitarios, preservando la naturaleza terrestre para sus habitantes, el ambientalismo sin centro, «enraizado en la creencia de que *prima facie* no debemos interferir en nada del mundo no definido por la cultura, tanto si soporta vida como si no», suscribe un valor no-instrumental, un intrínseco valor no-moral, a todo en la naturaleza, indiscriminadamente, no privilegiando nada (lo animado sobre lo inanimado, por ejemplo). En consecuencia, el ambientalismo sin centro se preocupa de proteger la naturaleza «como es y no meramente como es para nosotros» o para cualquier otro ser viviente. Por tanto, no localiza ese valor en seres con un punto de vista: no privilegia en especial intereses o centros de preocupación. Un ambientalismo sin centro es, por ello, dependiente de una estética natural sin centro.

Una estética natural sin centro prescribe la apreciación de la naturaleza a través de una estética sin centro: la apreciación estética de la naturaleza «como un todo» «en sus propios términos», «como ella misma», debe ser acéntrica, lo cual requiere una actitud particular (acéntrica) frente a la naturaleza, una que sea indiferente a la escala y la perspectiva humana. La adopción de una estética sin centro para la apreciación estética de la naturaleza posee un carácter de «inevitable arbitrariedad». Dado que lo que consideramos estéticamente ofensivo acerca de la violación de la naturaleza (la destrucción ambiental gratuita) y el grado en el que lo hacemos así —en general, nuestra preocupación estética o preferencias por la naturaleza— está limitado por nuestra escala espacio-temporal, que, como nuestras capacidades perceptivas y sus límites, son irrelevantes para «la visión desde ninguna parte». Para una estética sin centro, por otro lado, hay algo estéticamente ofensivo acerca de cualquier destrucción ambiental gratuita, sin importar cómo se relacione con nuestros límites biológicos. Trascendiendo los límites espaciotemporales de la vida humana, atribuir un valor no-moral intrínseco a todo en la naturaleza, sin importar lo pequeño, grande, breve o prolongado que sea, implica rechazar «la superficie sensorial de nuestro mundo perceptivo común» como la base de juicio estético de la naturaleza. Esta trascendencia abarca el reconocimiento de que «esa naturaleza es, para nosotros, fundamentalmente inaccesible y en último extremo desconocida», distante, incognoscible, otra, «para la cual, en principio, no tenemos significado», «un misterio de alejamiento». Puesto que nada en la naturaleza «como un todo» tiene ningún significado especial, para adoptar una estética natural sin centro debemos no contemplarla de forma antropológica (o biocéntrica), sino tener «un sentido de estar fuera, de no pertenencia» y de insignificancia, de manera que podamos reconocer «una justa impersonalidad, indiferencia verdadera y autonomía como principales marcas de la naturaleza». En otras palabras, la actitud que cabe mantener frente a la naturaleza «como un todo» es (no respeto, o reverencia, o amor, o temor, o maravilla, sino) distanciamiento: «la naturaleza es distante, y es este distanciamiento al que debemos llegar, no tanto para entenderla o reverenciarla, como para intentar reflejarla o alcanzarla –alcanzar el «misterio del distanciamiento», un misterio que no puede tener solución, «en un estado de incomprensión apreciativa».

Un elemento esencial de la posición de Godlovitch es la señalada necesidad de incognoscibilidad de la naturaleza (la necesidad de lo incognoscible), la idea de que la naturaleza «como un todo», la naturaleza *qua* naturaleza, debe eludir nuestra ciencia ya que no importa lo que la ciencia explique acerca de la naturaleza, siempre habrá asuntos no explicados. La meta de la ciencia de desmitificar el mundo no puede ser alcanzada, de forma que nos enfrentamos al misterio de la naturaleza ante el cual no hay solución final. Este no es el pensamiento familiar de que la ciencia es incapaz de explicar por qué existe algo en absoluto y por qué las leyes de la naturaleza son como son. Más bien, Godlovitch contrasta el propósito de la ciencia de fundamentar la naturaleza, de qué está hecho en último extremo el mundo y las leyes que lo gobiernan, con la «imagen de mundos dentro de mundos sin fin, capturados en la ontología fractal donde cada nivel revela tanto detalle y complejidad como el nivel superior: donde no hay elementos simples finales, ni constituyentes básicos, ni basamento óntico».

Pero la posibilidad de que haya una ontología fractal no implica su existencia, y solamente si la naturaleza es de hecho indefinidamente profunda será imposible para la ciencia desmitificar el mundo completamente (en ese sentido).

Sin embargo, incluso si la naturaleza es en el fondo insondable, incluso, si resulta imposible sondear sus profundidades infinitas, no se sigue que nuestra actitud estética frente a las cosas naturales deba ser siempre la misma y, en particular, que deba ser una actitud de distanciamiento, reflejo del misterio final de todo en la naturaleza. Godlovitch se desliza fácilmente desde la idea de que la naturaleza es finalmente insondable, misteriosa, a la idea de que la naturaleza es «categóricamente otra a nosotros mismos» algo «de lo cual nosotros nunca seremos parte». Y esta segunda idea lleva a concebir la naturaleza como siendo otra y distante. Este distanciamiento de la naturaleza exige alcanzar el distanciamiento en nuestra actitud frente a ella –«un sentido de estar fuera, de no pertenencia»– si nuestra actitud ha de ser la de expresar el valor intrínseco, no instrumental, de la naturaleza. Pero, en primer lugar, no se seguiría de la insondabilidad última de la naturaleza que no somos parte de ella, que estamos fuera, que no pertenecemos a ella. Más bien, si fuéramos parte de ella, seríamos nosotros mismos también insondables. Y, por supuesto, nosotros somos objetos naturales, compuestos de materia como otros objetos naturales, no siendo más distantes de la naturaleza que cualquier otro ser animado o inanimado (Hepburn, 1996: 252). Godlovitch sospecha que nosostros somos más distantes que cualquier otra especie de la naturaleza porque no puede imaginar nada más distante de lo que nosotros somos. Este pensamiento difícilmente se sigue de su afirmación de que, aunque podamos hasta cierto punto entender «el mundo experiencial» de otras especies, por ejemplo, su hambre, su dolor y temor, estamos «peculiarmente mal dotados para comprender» «el silencioso vacío de olas, rocas y fuego». Pero, por supuesto que estamos «peculiarmente mal dotados», puesto que no hay nada que comprender más que la naturaleza física de las olas, rocas y árboles, la forma en que están formados y según la que se desarrollan, las fuerzas físicas a las que son vulnerables, etc. Parece como si Godlovitch derivara nuestra supuesta distancia de la naturaleza del hecho de nuestra experiencia del mundo –algo ausente en la mayor parte de la naturaleza– y de nuestra habilidad para reflejar en la fenomenología de estados experimentales y de pensar sobre el mundo– una habilidad carente en cualquier otra especie viviente terrestre. Pero diferencia no es lo mismo que, y no implica, distancia. Así la idea de que la actitud estética apropiada frente a la naturaleza es una de distanciamiento no recibe apoyo de la idea de que tal actitud se corresponde con o refleja el distanciamiento de la naturaleza, es decir, distancia de nosotros. Y el misterio final putativo de la naturaleza no es en sí mismo suficiente para garantizar la afirmación de que la actitud estética apropiada frente a la naturaleza sea la de distanciamiento: no solo hay otras actitudes que cabe mantener frente al misterio ineliminable; de hecho, hay un curioso desemparejamiento entre distanciamiento y misteriosidad, desde el momento en que la actitud en ningún modo constituye una respuesta adecuada a su objeto[24].

Todo lo anterior deja dos asuntos sin atender: la intrínseca valía no moral atribuida por el ambientalismo sin centro a todo en la naturaleza indiscriminadamente, y la arbitrariedad alegada de una estética natural antropocéntrica. Pueden ser tratados muy brevemente. Primero, lo que es incorrecto con la destrucción ambiental caprichosa como tal, incluso cuando no hay ningún hábitat en riesgo, es solamente que es caprichosa, que solo deleite por la destrucción. Así pues, no hace falta pensar en la destrucción ambiental incontrolada como estéticamente ofensiva y el ambientalismo acéntrico no necesita localizar un valor no moral intrínseco en la naturaleza. Y segundo,

---

[24] Carlson, quien contempla la posición de Godlovitch más como una religión de la naturaleza que como un modelo de [al menos una dimensión de] la adecuada apreciación estética de la naturaleza (Carlson, 1995), abraza él mismo la conclusión de que, debido a que la naturaleza es «distinta de y más allá de la clase humana, algo esencialmente otro», «nuestra respuesta apreciativa es respuesta a un misterio que probablemente nunca comprenderemos plenamente… al apreciar la naturaleza somos conscientes de que el objeto es ajeno, un misterio, y, por tanto, finalmente cae más allá de nuestra apreciación y más allá de nuestra comprensión, de nuestro juicio y de nuestro dominio» (Carlson, 1993).

puesto que el argumento de Godlovitch que atañe a la arbitrariedad alegada de una estética natural centralista se articula sobre esta afirmación equivocada –«si fuéramos gigantes, aplastando un monumento de piedra, incluso una luna de piedra, no seríamos más ofensivos estéticamente que si destruyéramos el castillo de arena que tenemos ante nosotros ahora»–, cae con ella.

4.10. Una búsqueda quimérica

Si ninguno de los modelos propuestos de apreciación estética correcta de la naturaleza es adecuado, ¿qué debería ocupar su lugar? Dado el rol que se pretende que juegue el modelo, la respuesta correcta es, creo, «nada»: el hecho de que la apreciación estética de la naturaleza esté dotada de una libertad denegada a la apreciación estética del arte hace que la búsqueda de un modelo de apreciación estética de la naturaleza (en particular, del entorno natural) que nos indicara qué debe ser apreciado y cómo –algo de lo que tenemos una buena idea en el caso de las obras de arte– sea una empresa quimérica. En el caso del arte, Carlson escribe: «sabemos qué apreciar porque podemos distinguir una obra y sus partes de lo que no es, ni tampoco forma parte de ella… Y… podemos distinguir sus aspectos estéticamente relevantes de sus aspectos sin relevancia». Y sabemos cómo apreciar una obra de arte porque sabemos si escuchar o mirar, desde qué distancia, si quedarnos en un punto o desplazarnos alrededor, etc. La asunción subyacente a la búsqueda de un modelo de apreciación estética de la naturaleza consiste en que necesitamos alguna contrapartida de nuestro conocimiento del arte para que, en el caso de la naturaleza (o del entorno natural) responda las preguntas sobre el qué y el cómo, que tan bien sabemos responder en el caso del arte. Pero, primero, no hay un problema de contrapartida acerca de qué apreciar en la naturaleza: en general no necesitamos conocimiento especial para ser capaces de distinguir un ítem natural y sus partes de cualquier otra cosa naturales y ningún aspecto de un ítem natural que sea capaz de ser apreciado estéticamente es juzgado apropiadamente como aspecto estéticamente irrelevante del ítem, y somos libres de considerar a cualquier ítem natural, tanto por sí mismo o en el contexto de un conjunto mayor (el ecosistema al que pertenece, por ejemplo), o centrarnos no en un ítem natural individual, sino en un conjunto o grupo de ítems naturales (un paisaje celeste o un rebaño, por ejemplo). Y segundo, no hay limitaciones impuestas a la forma de apreciación –qué acciones realizar y con qué modo de percepción comprometerse– en virtud de la categoría natural a la que pertenezca un ítem, que sean paralelas a las limitaciones impuestas por las categorías de arte. En consecuencia, no existe algo que sean los focos apropiados de significación estética en el entorno natural o las fronteras apropiadas del conjunto. La respuesta a la cuestión «en el caso de la naturaleza (i) ¿qué ha de ser apreciado estéticamente?, y (ii) ¿cómo ha de ser apreciado estéticamente?, es justamente esta: (i) cualquier cosa disponible en la naturaleza para su apreciación estética (como naturaleza), y (ii) en cualquier forma o formas que sea posible apreciarla estéticamente (como naturaleza). La equivocada búsqueda de un modelo de apreciación estética de la naturaleza correcto o apropiado refleja la falta de reconocimiento de la libertad que es esencial a la apreciación estética de la naturaleza, una libertad que significa que depende mucho más del observador de la naturaleza que del observador del arte, y una libertad que es un aspecto del distintivo atractivo estético de la naturaleza.

Bibliografía

ALLISON, H., *Kant's Theory of Taste*, Cambridge, 2001, Cambridge University Press.

ARISTÓTELES, *Partes de los animales; Marcha de los animales; Movimiento de los animales;* Jiménez Sánchez-Escariche, E., y Alonso Miguel, A. (Introd.), Madrid, 2000, Gredos.

BEARDSLEY, M., «The Aesthetic Point of View», en Howard Kiefer y Milton Munitz (eds.), *Perspectives in Education, Religion and the Arts*, Albany, 1970, SUNY Press, pp. 219-37. Repr. en Beardsley, *The Aesthetic Point of View*, Ithaca y Londres, 1982, Cornell University Press, pp. 15-34.

BEISER, F., «Schiller, Johann Christoph Friedrich von», en Michael Kelly (ed.), *Encyclopedia of Aesthetics*, New York, 1998, Oxford University Press, pp. 224-9.

BERLEANT, A., «The Aesthetics of Art and Nature», en Salim Kemal e Ivan Gaskell (eds.), *Landscape, Naural Beauty and the Arts*, Cambridge, 1993, Cambridge University Press, pp. 228-43.

BRADLEY, A.C., «The sublime», *Oxford Lectures on Poetry*, London, 1909, Macmillan, pp. 37-65.

BUDD, M., «Wollheim on Correspondence, Projective Properties and Expressive Perception», en Rob van Gerwen (ed.), *Richard Wollheim on the Art of Painting: Art as a Representation and Expression*, Cambridge, 2001, Cambridge University Press, pp. 101-111.

BUDD, M., «The Pure Judgement of Taste as an Aesthetic Reflective Judgement», *British Journal of Aesthetics*, 41/3, Julio 2001, pp. 247-60.

BURKE, E., *Indagación filosófica sobre el origen de nuestras ideas acerca de lo sublime y lo bello*, Madrid, 1987, Tecnos.

CARLSON, A., «Environmental Aesthetics and the Dilemma of Aesthetic Education», *Journal of Aesthetic Education*, 10/2, 1976, pp. 69-82.

CARLSON, A., «On the possibility of Quantifying Scenic Beauty», *Landscape Planning*, 4/2, 1977, pp. 131-72.

191

CARLSON, A., «Appreciation and the Natural Environment», *Journal of Aesthetics and Art Criticism*, 37/3, 1979, pp. 267-75.

CARLSON, A., «Formal Qualities in the Natural Environment», *Journal of Aesthetic Education*, 13/3, 1979, pp. 99-114.

CARLSON, A., «Saito on the Correct Aesthetic Appreciation of Nature», *Journal of Aesthetic Education*, 20/2, 1986, pp. 85-93.

CARLSON, A., «Environmental Aesthetics», en David Cooper (ed.), *A Companion to Aesthetics*, Oxford, 1992, Basil Blackwell, pp. 142-4.

CARLSON, A., «Appreciating Art and Appreciating Nature», en Salim Kemal e Ivan Gaskells (eds.), *Landscape, Natural Beauty and the Arts*, Cambridge, 1993, Cambridge Universtiy Press, pp. 199-227.

CARLSON, A., «Nature, Aesthetic Appreciation, and Knowledge», *Journal of Aesthetics and Art Criticism*, 53/4, 1995, pp. 393-400.

CARLSON, A., «Appreciating Godlovitch», *Journal of Aesthetics and Art Criticism*, 55/1, 1997, pp. 55-7.

CARLSON, A., «Nature: Contemporary Thought», en Michael Kelly (ed.), *Encyclopedia of Aesthetics*, New York, 1998, Oxford University Press, pp. 346-9.

CARLSON, A., *Aesthetics and the Environment*, London-New York, 2000, Routledge.

CARROLL, N., «On Being Moved by Nature: Between Religion and Natural History», en Salim Kemal e Ivan Gaskell (eds.), *Landscape, Natural Beauty and the Arts*, Cambridge, 1993, Cambridge University Press, 244-66.

CRANE, T., «The Nonconceptual Content of Experience», en Tim Crane (ed.), *The Contents of Experience*, Cambridge, 1992, Cambridge University Press, pp. 136-57.

DANTO, A., *La transfiguración del lugar común: una filosofía del arte*, Barcelona, 2002, Paidós.

DARWIN, CH., *El origen de las especies por medio de la selección natural*, Madrid, 2009, Alianza Editorial.

DAVIES, ST., *Definitions of Art*, Ithaca-London, 1991, Cornell University Press.

DAVIES, ST., *Musical Meaning and Expression*, Ithaca-London, 1994, Cornell University Press.

EVANS, G., *The Varieties of Reference*, Oxford, 1982, Clarendon Press.

GODLOVITCH, S., «Icebreakers: Environmentalism and Natural Aesthetics», *Journal of Applied Philosophy*, 11/1, 1994, pp. 15-30.

GODLOVITCH, S., «Carlson on Appreciation», *Journal of Aesthetics and Art Criticism*, 55/1, 1997, pp. 53-5.

GODLOVITCH, S., «Valuing Nature and the Autonomy of Natural Aesthetics», *British Journal of Aesthetics*, 38/2, 1998, pp. 180-97.

GODLOVITCH, S., «Evaluating Nature Aesthetically» *Journal of Aesthetic and Art Criticism*, 56/2, 1998, pp. 113-25.

GUYER, P., *Kant and the Experience of Freedom*, Cambridge, 1996, Cambridge University Press.

HARGROVE, E., *Foundations of Environmental Ethics*, Englewood Cliffs, New Jersey, 1989, Prentice Hall.

HEGEL, G.W.F., *Filosofía del arte o estética (verano de 1826)*, Gethmann-Siefert, A., Collenberg-Plotnikov, B. (eds.), Madrid, 2006, Abada, Universidad Autónoma, cop.

HEPBURN, R., «Contemporary Aesthetics and the Neglect of Natural Beauty», en B. Williams and A. Montefiori (eds.), *British Analytical Philosophy*, London 1966, Routledge and Kegan Paul, pp. 285-310.

HEPBURN, R., «Data and Theory in Aesthetics: Philosophical Understanding and Misunderstanding», en Antohy O'Hear (ed.), *Verstehen and Human Understanding*, Cambridge, 1996, Cambridge University Press, pp. 235-52.

HEPBURN, R., «Nature Humanised: Nature Respected», *Environmental Values*, 7/3, 1998, White Horse Press, pp. 267-79.

HUME, D., *Tratado de la naturaleza humana: autobiografía*, Duque, F. (ed.), Madrid, 1992, Tecnos.

HUME, D., *Investigación sobre los principios de la moral*, Madrid, 1993, Alianza.

KANT, I., *Antropología en sentido pragmático*, Madrid, 2004, Alianza.

KANT, I., *Fundamentación de la metafísica de las costumbres*, Madrid, 2006, Espasa Calpe.

KANT, I., *Crítica de la razón práctica*, Salamanca, 2002, Sígueme.

LEOPOLD, A., *A Sand County Almanac*, Oxford, 1989, Oxford University Press.

MCDOWELL, J., *Mind and World*, Cambridge-Massachussets, 1994, Harvard University Press.

MILLER, M., *The Garden as an Art*, Albany-New York, 1993, State University of New York Press.

NICOLSON, M.H., *Mountain Gloom and Mountain Glory: the development of Aesthetics of the Infinite*, Ithaca-New York, 1959, Cornell University Press.

PASSMORE, J., *Man's Responsability for Nature*, London, 1980, Duckworth.

PEACOCKE, CH., *A Study of Concepts*, Cambridge-Massachussets, 1993, MIT Press.

ROLSTON III, H., *Environmental Ethics*, Philadelphia, 1988, Temple University Press.

ROLSON III, H., «Aesthetic Experience in Forests», *Journal of Aesthetics and Art Criticism*, 56/2, 1998, pp. 157-66.

ROSS, ST., *What Gardens Mean*, London-Chicago, 1998, University of Chicago Press, vol. 1-11.

SAITO, Y., «Is there a Correct Aesthetic Appretiation of Nature?», *Journal of Aesthetic Education*, 18/4, 1984, pp. 35-46.

SAITO, Y., «The Aesthetics of Unsenic Nature», *Journal of Aesthetics and Art Criticism*, 56/2, 1998, pp. 101-11.

SAVILE, A., *The Test of Time*, Oxford, 1982, Clarendon Press.

SCHILLER, F., *Über Naive und Sentimentalische Dichtung*, ed.William F. Mainland, Oxford, 1951, Basil Blackwell.

SCHILLER, F., *Kallias; Cartas sobre la educación estética del hombre*, Barcelona, 1990, Anthropos - Madrid: Ministerio de Educación y Ciencia.

SCHOPENHAUER, A., *El mundo como voluntad y representación*, Madrid, 2005, Trotta.

SCHOPENHAUER, A., *Parerga y paralipomena: escritos filosóficos menores*, Málaga, 1997, Agora.

SIBLEY, F., «Aesthetic Judgements: Pebbles, Faces, and Fields of Litter», en *Approach to Aesthetics*, Oxford, 2001, Clarendon Press, pp. 176-89.

SIBLEY, F., «Arts or the Aesthetics –Which Comes First?», en *Approach to Aesthetics*, Oxford, 2001, Clarendon Press, pp. 135-41.

SONTAG, S., «Notes on Camp», *Partisan Review*, 31, 1964, pp. 515-30; Repr. en *Contra la interpretación*, Vázquez Rial, H. (trad.), Madrid, 1996, Alfaguara.

STECKER, R., «The Correct and the Appropiate in the Appreciation of Nature», *British Journal of Aesthetics*, 37/4, 1997, pp. 393-402.

TUAN, Y.F., *Topofilia*, New York, 1990, Columbia University Press.

WALTON, K., «Categories of Art», *Philosophical Review*, 79/3, 1970, pp. 334-67.

WOLLHEIM, R., *El arte y sus objetos: introducción a la estética*, Barcelona, 1972, Seix Barral.

WOLLHEIM, R., «Correspondence, Projective Properties, and Expression in the Arts», en Ivan Gaskell y Salim Kemal (eds.), *The Language of Art History*, Cambridge, 1991, Cambridge Universtiy Press, pp. 51-66; Repr. en su *The Mind and Its Depths*, Cambridge-Massachussets-London, 1993, Havard University Press, pp. 144-58.

Índice analítico

actitud estética, 32, 157
agua
  apreciar el agua como sustancia natural, 24
  conocimiento científico del, 44
  observar una gota de, 143
Allison, Henry, 58
ambientalismo, ambientalismo acéntrico, 155, 158
amenazante, y las cualidades expresivas de la naturaleza, 152-3
animales
  placer en observar, 94
  Kant, sobre los estados perceptivos de los, 54
  y Kant, juicios estéticos, 67
  y Kant, juicio de belleza *dependiente*, 63-64
  en zoos, 28
  (*véase también:* criaturas sentientes)
apreciación de la magnitud,
  y el concepto de lo sublime matemático en Kant, 98-111
apreciación del orden
  y estética positiva, 133-134, 137, 166
apreciación artística, 33
  como opuesta a la apreciación estética de la naturaleza, 23-25
apreciación estética
  de la naturaleza como naturaleza, 13, 14, 19-46

de la naturaleza, como si fuera arte, 157-8
  y el carácter de la respuesta estética, 32-6
  y el conocimiento de la naturaleza, 40-5
  y la idea de naturaleza, 21-5
  y los ítems naturales, 159-60
  y la naturaleza no-prístina, 26-28
  y el placer en la belleza natural, 78
  y respuesta a la naturaleza como naturaleza, 29-32
árboles
  apreciación estética de los, 38
  y la concepción de la naturaleza naif de Schiller, 93
  argumento de lo que daña a la vista,
  y cualidades expresivas de la naturaleza, 155, 156
Aristóteles, 138
arte
  apreciación del
    y la estética positiva, 15, 131
  apreciar la naturaleza como si fuera arte, 14, 15, 123-125
  belleza del,
    y belleza de la naturaleza, 125-128
  cualidades expresivas en el, 153
  experiencia estética del
    y la apreciación estética de la naturaleza, 147

imposición del
  sobre el mundo natural, 26-27
  respuesta estética al, 35-36
  y los modelos de apreciación esté-
    tica de la naturaleza, 170
artefacto, la naturaleza como un, 22-
  23, 29-30
austeridad, y las cualidades expresivas
  de la naturaleza, 152-153

basura, cualidades expresivas de la,
  155-6
belleza
  del arte y de la naturaleza, 125-8
  en los ecosistemas, 139
  Kant, sobre el juicio de
  belleza adherente, 61-4, 66
  belleza libre, 50-2, 65, 75, 79
  ideal de belleza, 68-72
  perfección cualitativa, 59-61,
    66-7, 73
  Kant, sobre la belleza natural, 47-
    8, 73
  el interés inmediato en la, 78-
    82
  y la moralidad, 75, 81-95, 127
  y lo sublime, 96-7
lo bello
  experiencia estética de, 36
  en Kant:
    juicio estético de, 50-1
    placer distintivo de, 53-8
Berleant, Arnold, 148-9
Blake, William, 143
Bradley, A.C., 96
Burke, Edmund, 13, 138
Byron, Lord, *Childe Harold's Pilgrimage,* 94

canto de pájaro
  apreciación estética del, 30, 31
  y el interés inmediato en la belleza
    natural, 78-80
Camp (*véase*, sensibilidad), 155-56
capacidades conceptuales, y placer estético, 33

capacidades de resistencia, y lo sublime
  dinámico, 108-110
Carlson, Allen, 15, 22, 129, 131, 132,
  188
  argumentos a favor de la estética
    positiva, 132-4, 166
  sobre la apreciación de obras de
    arte, 189
  sobre las categorías de naturaleza y
    objetividad, 160-4
  y cualidades expresivas de la natu-
    raleza, 152, 157
  y el formalismo del entorno, 149,
    151-2
  y los modelos de apreciación de la
    naturaleza, 169-70
  modelo causal, 180, 181-5
  modelo del objeto, 170-3
  modelo del paisaje, 173-5
  modelo natural-ambiental, 175-80
Carrol, Nöel, 45, 180-5
cielo, apreciación estética del, 41-3
cielo estrellado, y el juicio estético de
  lo sublime de Kant, 118-22
cielo nocturno
  contemplando la Vía Láctea, 43-4,
    103-4
  y el juicio estético de lo sublime de
    Kant, 118-20, 121
ciencia
  y el modelo de apreciación del mis-
    terio, 185-89
  y la estética positiva, 132-34, 136,
    165
Clare, John, «Summer Images», 47
conocimiento científico
  de la naturaleza, 40-6
  y los modelos de apreciación de la
    naturaleza
    modelo causal, 182, 183-5
    modelo natural-ambiental, 175-
      80
  rol del, en la apreciación estética de
    la naturaleza, 16, 40-5
  teoría del conocimiento perceptivo
    de Kant, 57-8

Crashaw, Richard, «Musicks Duell», 74

criaturas sentientes
apreciación estética de, en la naturaleza, 38-9
y el juicio estético de Kant sobre las cosas naturales, 64-8
y concepción de la naturaleza naif de Schiller, 92-3

cualidades estéticas
negativas
expresivas, y sensibilidad Camp, 155-6
de la naturaleza prístina, 131-2
e ítems regulados por leyes, 136
y estética positiva, 164-6
reacciones (negativas)
y la apreciación estética de la naturaleza, 39
y la experiencia estética de lo sublime, 35
y respuestas estéticas, 35
y valor de la naturaleza, 145-6
cualidades expresivas de la naturaleza, 152-7
y modelo de apreciación de la naturaleza del objeto, 170

cuerpo humano
como objeto natural, 21-3, 27
y juicios estéticos de Kant, 65
de belleza dependiente, 62-3
de belleza ideal, 70-2

«darse cuenta» en la apreciación estética de la naturaleza, 43
Davis, Stephen, 158
deleite estético
en el mundo natural, 31, 39
concepción de Kant del, 14, 67
desinterés, y la estética de la implicación, 148
destrucción ambiental gratuita,
y el modelo de apreciación estética del distanciamiento, 185
Dios
y la experiencia de lo sublime, 95

y la naturaleza como artefacto, 21-4
ecosistemas, 190
y estética positiva, 132, 139-142
entendimiento
y Kant sobre el placer distintivo de lo bello, 54, 55-8
y Kant sobre lo sublime, 97-8, 120-1
entorno de creación, y el modelo de apreciación de la naturaleza del objeto
erupciones volcánicas, y formalismo ambiental, 152
escepticismo
y la apreciación estética de la naturaleza como naturaleza, 13, 15, 32
espacio, Kant sobre lo sublime y el, 105-7, 118-9, 121-2
estética de la implicación, 148-9
estética positiva, 15, 131-42, 164-9
e ítems naturales individuales, 166-7
y apreciación del orden, 133-4, 137
y cualidades estéticas expresivas negativas, 164-6
y ecosistemas, 132, 139-42
y observación, 144
eternidad, y lo sublime, 95
evaluación estética, 47

Flores
juicio de belleza libre sobre las, 52, 65
y la concepción de la naturaleza naif de Schiller, 93
formalismo
ambiental, 149-52
y cualidades expresivas de la naturaleza, 149, 150-2

Godlovitch, Stan, 131, 132, 181, 185-9
guernicas, 161
gusto
Kant, sobre el juicio de
como inherentemente no interesado, 74-7

y el juicio estético, 52
y el juicio moral, 84-6
y el placer distintivo de lo bello, 53-8
y el placer interesado y desinteresado, 72
y la perfección cualitativa, 58-61
y los objetos naturales, 64-5
Guyer, Paul, 68

Hargrove, Eugene, 132
Hegel, G.W.F., 147
Hepburn, Ronald, 13, 15, 40, 43, 162, 178
y el formalismo ambiental, 149
sobre el rechazo de la filosofía de la estética de la naturaleza, 147-8
Hopkins, G.M., «The Windhover», 39
Humano (véase: cuerpo, intrusión)
Hume, David, 21, 39

Ideal de belleza,
Kant sobre el, 68-72
imaginación
en Kant,
y el placer distintivo de lo bello, 55, 56, 58
y la estimación de la magnitud, 99
y lo sublime, 95-6, 105-7
implicación
estética de la, 148-9
infinitud, y la idea de lo sublime de Kant, 95-6, 105-7
interés estético, 156
inmensidad, y la idea de lo sublime de Kant, 96, 118, 120-1
indiferencia, y juicios estéticos evaluativos, 35
intuición, y lo matemáticamente sublime en la naturaleza, 102
intrusión humana en la naturaleza, 13, 26-8
y las cualidades expresivas de la naturaleza, 153-55

ítems naturales (objetos)
belleza de los, 125-28
clases de, e individuos, 24-5
comparados con los artefactos, 21-3
como carentes de marco, 148
cuerpo humano, como, 213, 27
experimentados como naturales, 20
Kant sobre:
el juicio de belleza dependiente, 61-2
y juicios estéticos no reconocidos sobre los, 64-8
y lo sublime, 120-1
respuesta estética a los, 30-1
valor estético de los, 130-1, 145-6, 164-5, 169
y el modelo de apreciación de la naturaleza medio ambiental, 175-80,
y el modelo causal, 182-4
y el modelo del objeto, 170-3
y la apreciación estética de, 39, 162
y la apreciación estética de la naturaleza como naturaleza, 159-60
y la estética positiva, 133-39, 167, 169
ítems naturales individuales, y estética positiva, 166
ítems regulados por leyes, y estética positiva, 135, 137

Juicios estéticos, 32
evaluativos, 34
en Kant, 47-9
clasificación de los (no-compuestos), 50-2
de belleza dependiente, 61-4, 66
juicios no reconocidos acerca de cosas naturales, 64-8
de lo sublime, 96-8, 114, 118-22
y placer, 48-9

de la naturaleza, 16, 161, 162-4
de obras de arte, 161
reflexionantes, 50

Kant, Inmanuel, 13, 14, 47-122
    Critica del Juicio Teleológico, 84
    sobre la belleza natural, 47, 48, 73
    interés inmediato en, 78-81
    y la concepción de la natura-
        leza naif de Schiller, 91-2
    y la moralidad, 74, 81-94, 127
    y lo sublime
    sobre el juicio de belleza,
        dependiente (adherente), 61-4
        ideal de belleza, 68-72
        libre, 50, 53, 65
        perfección cualitativa, 59-61,
            67, 73
    sobre lo sublime, 95-122
        sublime dinámico, 96-8, 108-
            112
        el doble aspecto de la emoción,
            95-96, 112-117
        juicios estéticos de, 51-2, 52-3,
            96-8, 114, 118-12
        lo sublime matemático, 14, 96,
            98-108
        y la estética de la implicación,
            148
        y los juicios estéticos, 47, 48-9
        clasificación de (no com-
            puestos), 50-2
        y el placer, 48-9, 67-71
        sobre lo sublime, 96-8, 114,
            118-122
        juicios no reconocidos sobre
            cosas naturales, 64-8
    (*véase*: placer, la concepción de Kant
        del)

Leibniz, Gottfried Wilhem, 60
Leopardi, Giacomo, *L'infinito,* 94
Leopold, Aldo, 25
libertad
    Kant sobre la naturaleza y la, 88
    Schiller sobre la, 90

y la apreciación estética de la natu-
    raleza, 142-6, 165, 169, 189-90
y los juicios estéticos sobre la be-
    lleza de los ítems naturales, 125

magnitud, estimación de, y concepto
    de lo sublime matemático de Kant,
    96, 97-108, 114
McDonald, George, 79
Mahler, Gustav, *Das Lied von der Erde*
    (Canción de la Tierra), 19
majestuosidad, y cualidades expresivas
    de la naturaleza, 153
materia, y la idea de juicio estético de
    Kant, 51
misterio, modelo de apreciación de la
    naturaleza, 170, 185-189
modelos de apreciación de la natura-
    leza, 179-189
    modelo causal, 170, 180-185
    modelo del misterio, 170, 185-189
    modelo del medio ambiental, 170,
        175-180
    modelo del objeto, 170, 171-173
    modelo del paisaje, 170, 173-175
moralidad
    Kant, sobre la belleza natural y la,
        74, 81, 82-94, 127
    y el interés inmediato en la be-
        lleza natural, 78-81
    y el juicio de gusto, 74-78, 84-
        87
    Kant, sobre lo sublime y la, 95,
        115, 121
    y lo sublime dinámico, 108,
        109, 110-1
    Schiller, sobre la, 90
montañas, contempladas como objetos
    sublimes, 95
naturaleza
    apreciar la naturaleza como si fuera
        arte, 123-5, 125-8
    apreciar la naturaleza como lo que
        realmente es, 16, 123-5
    belleza de la, y la belleza del arte,
        125-8

categorías de la, 15, 160-4, 167
conocimiento de la, 40-5
cualidades expresivas de la, 152-7
en qué consiste la, 21
idea de, 21-25
juicios estéticos de la, 16, 160, 163
no prístina, 26-28
prístina, 13, 131-132, 164-67
cualidades estéticas positivas y
negativas de, 16, 131-132,
164-166
respuesta estética a, 36
repuestas no artísticas y anti-artís-
ticas, 29-31
Schiller sobre la naturaleza naif, 89,
90-94
y estética positiva, 15, 131-42,
164-7
(véase también apreciación estética
de la naturaleza como naturaleza)

Nicolson, Marjorie Hope, 95
niños
Kant sobre el ánimo de amar la belleza natural, 88
y la concepción de Schiller de la
naturaleza naif, 93
nubes, apreciación estética de, 42-3
objetividad y categorías de naturaleza,
160-4

objetos
forma de los, 75
y la concepción del placer de
Kant, 51, 57-8, 61-2
y la idea del juicio estético de
Kant
hechos a mano, en comparación
con los objetos naturales (véase
ítems naturales)
objetos inanimados, y la concepción de la naturaleza naif de
Schiller, 92-93
objetos fabricados, y naturales, 22-
23

objetos naturales vivos
y estética positiva, 134-7, 138,
166
obras de arte
apreciación de las, 124, 158-9,
189
categorías de, 143, 160-1, 163,
168
comparadas con ecosistemas, 141
cualidades estéticas negativas en
las, 165
juicios estéticos sobre las, 160-1
problema y estilo en, 125-7
propiedades estéticas de las, 129,
143
tipos de, 167
y el formalismo del entorno, 149-
151
observación, y la apreciación estética
de la naturaleza, 143-6
océano el, y el juicio estético de lo sublime de Kant, 119
ontología fractal, 187

paisaje, modelo de apreciación de la
naturaleza del, 170, 173-5
paisaje
apreciación del, como naturaleza,
24, 27
cualidades expresivas del, 153
y estética positiva, 133-4
huellas de humanidad en el, 28
postes eléctricos cruzando el, 154-5
percepción
errónea de ítems naturales, 72
Kant, sobre el contenido de la, 55-6
y la apreciación estética de la naturaleza, 37
percepciones del mundo, y la apreciación estética de la naturaleza como
naturaleza, 14
perfección, Kant sobre el juicio de la
perfección cualitativa, 59-61
Picasso, Pablo, Guernica, 161-2
pirámides, y la estimación de la magnitud de Kant, 100-1

placer
  concepción de Kant del, 35
  distintivo de lo bello, 53-58
  en la belleza libre, 75
  en la dulzura de un gusto, 77
  interesado y desinteresado, 72-
    74
  objetos bellos, 75-76
  y el interés en la belleza natu-
    ral, 81-3, 86
  y el juicio de belleza adherente,
    64
  y el juicio estético, 48-9, 66-71
  y lo sublime, 97, 115-6
  estético, 33-36
  proposicional, 35, 71
  y la concepción de la naturaleza
    naif de Schiller, 91
privación estética
  e identificación errónea, 44
propiedades estéticas, 33-4
  de las cosas naturales, 129-31, 166-9
  de las obras de arte, 129, 133-4
  y categorías de naturaleza, 162-4

reacciones positivas
  y la apreciación estética de la natu-
    raleza, 38
  y respuestas estéticas, 34-5
respuesta anti-artística a la naturaleza,
  29
respuesta estética
  carácter de la, 13, 32-6
  a la naturaleza como naturaleza,
    36-40
relatividad
  en la apreciación estética de la na-
    turaleza, 142-6
  y juicios estéticos sobre la belleza
    de los ítems naturales, 125
representación sensible, y juicio de perfección cualitativa, 60

Saito, Yuriko, 156
Savary, Anne Jean Marie René, *Cartas
  sobre Egipto*, 100

Savile, Anthony, 125-8
Schiller, Friedrich
  *Sobre la educación estética del hom-
    bre*, 91
  sobre la naturaleza naif, 91
  Sobre la poesía naif y sentimental,
    89
Schopenhauer, Arthur, 25, 94
  teoría de la experiencia estética,
    115
  serenidad, y cualidades expresivas de la
    naturaleza, 153
sensibilidad
  Camp, y las cualidades expresivas
    de la naturaleza, 155-6
  y Kant, sobre el placer distintivo de
    lo bello, 54-5
  y Kant, sobre lo sublime, 97, 113,
    121
sentidos, los, y ecosistemas, 140-1
Sontag, Susan, 155
Stecker, Robert, 178-9
sublime
  componente negativo del senti-
    miento de, 112, 115-7
  dinámico, 96-8, 108-112
  el doble aspecto de la emoción de
    lo, 96, 112-117
  en ecosistemas, 104-5
  en el pensamiento inglés de los si-
    glos XVIII y XIX, 95-96
  experiencia estética de, 35
  en Kant, 95-122
  juicios estéticos de, 51-2, 96-8,
    114, 118-22
  matemático, 14, 95-108, 112, 114,
    118-9
  y el cielo nocturno, 43, 103, 105
  y el modelo de apreciación estética
    de la naturaleza del objeto,
    172

Trato abusivo a la naturaleza, 157
Tormenta, nubes, apreciación estética
  de, 42

Valor estético de las cosas naturales, 130-1, 145-6, 164, 169
Valor de trofeo de los objetos, 26
Vía Láctea, en el cielo nocturno, 43-44, 103-104
Visión, y la apreciación estética de la naturaleza, 143-146

Walton, Kendall, 25, 129-30, 143-4, 161-62, 167
Whitman, Walt, «Song of myself», 123
Wolff, Christian, 60
Wollheim, Richard, 153, 157

Zoos, animales en, 28